JUAN DE ZABALETA

ESPASA
S A
C
CALPE S.A.

CLÁSICOS CASTELLANOS

JUAN DE ZABALETA

ERRORES CELEBRADOS

EDICIÓN, INTRODUCCIÓN Y NOTAS DE DAVID HERSHBERG

ESPASA-CALPE, S. A.
MADRID, 1972

Depósito legal: M. 30.242—1971

Talleres tipográficos de la Editorial Espasa-Calpe, S. A.
Carretera de Irún, km. 12,200. Madrid - 34

INTRODUCCIÓN

Aunque muchos de los datos biográficos de Juan de Zabaleta siguen sin descubrirse, de sus creaciones literarias se puede deducir que nació en Madrid en 1610 y murió en la misma capital unos sesenta años después. También puede aseverarse que al ganar unos pleitos sobre cuestiones de mayorazgo, pudo vivir más tranquilamente en la corte donde se le nombró cronista de Felipe IV. No existen, desafortunadamente, datos sobre su familia, su educación, ni los años formativos de su juventud. De los numerosísimos casos de su colaboración con los poetas y dramaturgos de su época, está bien claro que sus contemporáneos reconocieron y estimaron su talento.

La fama literaria de Zabaleta se deriva principalmente del *Día de fiesta por la mañana* (1654) (1) y

(1) *El Día de fiesta por la mañana (DFM)* se publicó en Madrid en 1654 y luego en Coimbra, 1666. Aparecieron dos ediciones abreviadas en 1885, pero sólo en el siglo XX se volvió a publicar en su forma íntegra. La edición crítica y anotada de George Lewis Doty en *Romanische Forschungen*, LXI (1927), precedió en veintiún años a la versión y comentario de María Antonia Sanz Cuadrado (Madrid, 1948. Ediciones Castilla, 14). Debe decirse que a pesar de la seriedad de esta edición, deja de reconocer la contribución de Doty. Conviene mencionar también el texto abreviado,

Día de fiesta por la tarde (1660) (2), una serie de cuadros de costumbres en que el autor dibuja satíricamente a la sociedad madrileña y critica a los que dejan de observar la religiosidad del día. Su propósito en los dos libros es patentemente didáctico: en el primero se burla de los tipos retratados, *exempli gratia*, poetastros, cortesanos, hipócritas y glotones; en *DFT* Zabaleta critica esas actividades, *exempli gratia*, el juego, el teatro y la merienda que apartan a los hombres de sus deberes religiosos. Aunque tendenciosos y pesados en su aspecto moralista, estos cuadros conservan gran interés como documento de las costumbres de la época (3).

En 1667 apareció la primera de las siete ediciones de las *Obras en prosa* (4) de Zabaleta que además de los mencionados, contienen los siguientes títulos: *Theatro del hombre: el hombre, historia y vida del Conde de Matisio* (1652) (5); *Problemas de la filosofía moral* (1652); *Errores celebrados* (1653); *El emperador Commodo* (1666); *Milagros de los trabajos* e *Historia*

El día de fiesta por la mañana y por la tarde, selección y prólogo por Luis Santullano (México, 1940. Editorial Séneca).

(2) *El día de fiesta por la tarde (DFT)* se publicó en Madrid en 1660 y luego en Lisboa, 1666. Después de dos ediciones abreviadas en 1885, George Doty lanzó su edición crítica y anotada en *Gesellschaft für romanische Literatur*, L (1938). Como en el caso del *DFM*, María Antonia Sanz Cuadrado ofreció una edición comentada y anotada (Madrid, 1948. Ediciones Castilla, 15) que también hizo caso omiso del trabajo de Doty.

(3) Antonio Cánovas del Castillo indica que Mesonero Romanos, Estébanez Calderón y otros escritores costumbristas del siglo XIX se valieron de estas descripciones de Madrid. Véase *El solitario y su tiempo* (Madrid, 1883), I, 144 *et sequens*.

(4) Las ediciones de las *Obras en prosa* son: Madrid, 1667; Madrid, 1672; Madrid, 16?? (ya no existen ejemplares); Madrid, 1692; Barcelona, 1704; Madrid, 1728; y Madrid, 1754-58 en 4 vols.

(5) Para un estudio de esta obra véase Joseph N. Lincoln, «The *Conde de Matisio* and Robert the Devil», en *Papers of the Michigan Academy of Science, Arts and Letters*, XXVIII (1942), 657-664.

de Nuestra Señora de Madrid (6). Estos libros menos conocidos ofrecen nuevas perspectivas sobre la preocupación de su autor por los valores morales siempre presentes en sus escritos.

El Conde de Matisio y *El emperador Commodo* son glosas sobre las carreras de dos figuras históricas, Lodovico y Commodo, cuyo libertinaje contrasta con la conducta ejemplar de sus respectivos padres, Roberto, Conde de Matisio, y el emperador Marco Aurelio. En ambos casos los hijos en lugar de seguir el ejemplo de sus padres optaron por rodearse de halagadores serviles que atendían a sus deseos más desenfrenados. Como castigo por no haberse enmendado después de repetidas amonestaciones, pagaron con la vida: Commodo fue víctima de un asesinato político y Lodovico murió por la mano de Dios que intervino cuando el lujurioso conde estaba a punto de satisfacer su deseo por la virtuosa hija de su ayo. Frecuentes digresiones moralizantes caracterizan estas obras, ya que Zabaleta mantiene que la historia, por medio de casos famosos, tiene que enseñar al hombre a corregir sus faltas. A la primera frase de cada párrafo que contiene el hilo narrativo sigue un comentario copioso sobre las implicaciones morales de las acciones que se discuten.

Con los *Problemas de la filosofía moral* y los *Milagros de los trabajos* Zabaleta trata de poner en claro algunas paradojas que podrían confundir al hombre. Los doce problemas se centran sobre fenómenos físicos, *exempli gratia*, por qué parece mayor una moneda cuando sumergida en agua (problema III) o por

(6) Esta obra, escrita probablemente después de 1667, se incorporó en todas las ediciones de sus *Obras en prosa* menos la primera.

qué el sol endurece la arcilla pero ablanda la cera (problema V). En los cuatro milagros Zabaleta considera el sufrimiento del hombre en la tierra y, paragonándolo al de Cristo en la Cruz, concluye que el hombre alcanza la salud espiritual y participa en lo divino cuando supera las tribulaciones terrestres. Así en estas dos obras Zabaleta abarca un gran número de cuestiones físicas y morales, a las cuales propone soluciones destinadas a mejorar el entendimiento del hombre y así encaminarle a una vida mejor.

La *Historia de Nuestra Señora de Madrid* narra la suerte de una imagen de la Virgen, su pérdida, el descubrimiento y, finalmente, la llegada a Madrid. Si bien esta obra pretende trazar la ruta que siguió la imagen, en realidad presenta sobre las flaquezas humanas una serie de digresiones unidas por el tono moralizador del autor. Como apéndice al texto siguen descripciones minuciosamente detalladas de cuarenta y dos milagros que atestiguan la intervención de la Virgen en favor de los creyentes que imploraron su socorro.

Además de las creaciones en prosa de Zabaleta, se le atribuye cuantiosa literatura dramática, en gran parte escrita en colaboración con Calderón, Moreto y otros dramaturgos sobresalientes de su época (7). Aunque existen valiosos estudios sobre algunas de sus piezas teatrales (8), queda todavía la mayor parte sin explorar.

---

(7) Su producción teatral, incluyendo las comedias escritas en colaboración, fue enumerada por Cayetano Alberto de la Barrera y Leirado, *Catálogo bibliográfico y biográfico del teatro español desde sus orígenes hasta mediados del siglo XVIII* (Madrid, 1860), 500-502.

(8) Véanse Edward Glaser, «Escenificación de una leyenda segoviana por Juan de Zabaleta», en *Estudios segovianos,* X (1958), 5-30; y George

En todos sus escritos se percibe claramente los contornos del pensamiento zabaletano. Este español erudito se basa tanto en personajes históricos como en la sociedad contemporánea para criticar aquellas acciones y actitudes que no concuerdan con su perspectiva cristiana. Aunque estas obras muestran frecuentes digresiones moralizadoras, debe decirse que se animan a veces con vivas descripciones y una sátira mordaz que dan testimonio de su maestría literaria.

Entre los primeros críticos que reconocieron los méritos literarios de Zabaleta era su amigo, Jerónimo de Cáncer, que en su ya famoso *Vejamen* dijo: «Éste es don Juan de Zavaleta..., es excelente poeta, y de los mayores. Ha escrito muy buenas comedias...» (9). Otro contemporáneo, Francisco Santos, dio prueba de su estima por la obra costumbrista de Zabaleta plagiándole extensamente cuando escribió su *Día y noche de Madrid* (1663) (10).

Un distinguido crítico del siglo XVIII, Diego de Torres Villarroel, colmó de alabanzas la habilidad de Zabaleta: «Este escritor [Zabaleta] fue uno de los filósofos más serios, profundos y juiciosos de la nación. Sus argumentos están respirando honestidad y deseo de la corrección de la vida. Su estilo es breve,

---

Tyler Northup, en «*Troya abrazada* de Pedro Calderón de la Barca y Juan de Zabaleta», en *Revue Hispanique,* XXIX (1913), 195-346.

(9) *Vejámenes literarios de don Jerónimo de Cáncer y Velasco y don Anastasio Pantaleón de Rivera,* Biblioteca de Autores Españoles, XLII, 432. Fue Cáncer quien inventó la redondilla frecuentemente citada sobre la fealdad de Zabaleta: «Ver su comedia era cara / Ver su cara era comedia.»

(10) John H. Hammond, «Francisco Santos y Zabaleta», en *Modern Language Notes,* LXVI (1956), 166.

casto, conciso, y elegante» (11). Antonio Álvarez y Baena (12), ofreciendo una lista incompleta de las obras de Zabaleta, afirmó que «... [Zabaleta fue] cronista del Rey D. Felipe IV y escritor de muchas obras, así en prosa como en verso, en que manifestó bien su estudio e ingenio, como también sus costumbres cristianas» (III, 227).

Mucho más penetrantes eran los comentarios del ilustre hispanista norteamericano, George Ticknor, quien, por ser antigongorista, tenía cierto recelo ante la obra de Zabaleta: «Among those who wrote best, though still infected with the prevailing influences, was Zabaleta. His "Moral Problems" and "Famous Errors", in which he gives lively satirical sketches of the manners of the metropolis... are worth reading» (13). De igual modo, Fitzmaurice-Kelly, a pesar de sus calurosos elogios de *DFM* y *DFT*, inculpa a Zabaleta por afectaciones estilísticas (14). Como defensor de Zabaleta se presentó Julio Cejador y Frauca (15) quien consideró a Zabaleta «... dotado de clarísimo ingenio y adornado de sólidos conocimientos filosóficos e históricos...» (V, 185). Concluyó Cejador: «Si como dramático tuvo quien le aventajase, no así como prosista y pintor de costumbres. En sus obras satírico-pintorescas, sobre todo en *El Día de fiesta*, nos describe las madrileñas de mediados del siglo XVII en vistosos cuadros de tipos de la corte, con lindo

(11) Diego de Torres Villarroel, *Obras completas* (Salamanca, 1752), VI, 22-23.

(12) José Antonio Álvarez y Baena, *Hijos ilustres de Madrid* (Madrid, 1790), III, 227-228.

(13) *History of Spanish Literature* (Boston, 1863), III, 263.

(14) «... interesantes cuadros, viciados por afectaciones de estilo», en *Historia de la literatura española*, 4.ª ed. (Madrid, 1926), pág. 292.

(15) *Historia de la lengua y literatura castellana* (Madrid, 1916).

humorismo, socarronería suave y bien coloridas pinceladas. El lenguaje, aunque no del todo libre de la afectación reinante, es de lo mejor del siglo, y el mejor sin duda que, después de Gracián, hemos tenido, ganándole en naturalidad. Es clara, propia, elegante, castiza y rica el habla de Zabaleta con un sabor humanístico a siglo XVI que se halla en raros autores del XVII» (V, 186).

Ludwig Pfandl (16), uno de los críticos más exigentes que nunca se ocupó de él, habló cariñosamente de «... nuestro delicioso Zabaleta...» (pág. 251). A Pfandl le interesaba la totalidad de su obra literaria, y evidentemente la tenía por excelente. Ensalzó las obras filosófico-narrativas como los *Milagros de los trabajos* y los *Problemas de la filosofía moral*. En una nota final mantuvo que «Como estilista... de acuerdo con la claridad, honradez y pureza de su pensamiento, es de bienhechora sencillez y frugal precisión, muy alejada de aquella *afectación de estilo* que le reprocha Fitzmaurice-Kelly» (pág. 386). Pfandl pensó que Zabaleta era mucho más que un mero costumbrista o satírico. El crítico alemán afirmó que sus obras costumbristas «... tienen doble valor. Por una parte la historia de la cultura y de las costumbres contemporáneas; por otra, como ejemplo de un pensamiento filosófico y social extraordinario para la época y el país. Zabaleta tiene ideas propias sobre el sentimiento del honor, la nobleza, el desafío, la pobreza, el valor de la vida...» (págs. 385-386). Pfandl enumeró los que consideró algunos de los ideales más originales de Zabaleta. Glosando *DFM* y *DFT* se concentró en

(16) *Historia de la literatura nacional española en la edad de oro*, segunda ed. (Barcelona, 1952).

los temas de venganza y honor: «Cuando toda España se rendía ante el principio de que el honor no es otra cosa que la buena reputación, Zabaleta defiende valientemente que *no hay más honra que la virtud*... con el vicio de la venganza se pierde la virtud que es la verdadera honra» (pág. 385).

Quizá como reacción al interés de Pfandl en Zabaleta, Ernst Werner escribió un ensayo sobre el honor y la nobleza en sus obras (17). En cuanto al honor, dijo: «Wir sehen also, wie Zabaleta seine Auffassung von der Ehre ganz in Einklang mit der christlichen Lehre bringt; Gleichsetzung der Ehre mit persönlicher Tüchtigkeit oder Tugend, sowie Verzeihung und Verzicht auf Rache auch im Falle des Ehebruchs sind die beiden Hauptpunkte dieser Anschauung.... Scharf verurteilt er die Auswuchse seiner Zeit, die übertriebene Ehrempfindlichkeit und die Unsitte des Zweikampfes» (pág. 268). Sobre la actitud de Zabaleta para con la nobleza, añade Werner: «Der wahre Adel is nach seiner Auffassung der Seelenadel, der nur durch persönliche Tüchtigkeit oder Tugend erworben wird» (pág. 280). Como otros muchos Werner dijo que ya era hora de revaluar la obra de Zabaleta, pero no hizo más que documentar las aseveraciones de Pfandl.

Gerardo Diego (18), en una discusión del arte moderno, ofreció otro testimonio de la vitalidad de la herencia de Zabaleta al llamar la atención sobre los paralelos existentes entre nuestro autor del siglo XVII y un joven pintor español del siglo XX, también lla-

(17) «Ehre und Adel nach der Auffassung des Juan de Zabaleta», en *Revue Hispanique*, LXXXII (1933), 261-281.

(18) «Zabaleta, la poesía y Zabaleta», en *Clavileño*, III, XIV (1952), 36-40

mado Zabaleta, cuyos lienzos, según Diego, recrearon escenas costumbristas de la vida madrileña tal como las había pintado el autor del *DFM* y *DFT*. Azorín (19), también, abogó por el valor de las descripciones costumbristas de Zabaleta, alegando que los tipos retratados por él a mediados del siglo XVII todavía se encuentran en la capital trescientos años después. Más recientemente se ha visto el estudio de James Stevens (20) quien, limitándose a *DFM* y *DFT*, hace hincapié en la técnica de Zabaleta de ridiculizar a la clase media cuyas frivolidades critica implícitamente desde su punto de vista moral.

Los *Errores celebrados* (1653) (21), una obra de Zabaleta casi sin estudiar, es el libro donde más patentemente Zabaleta indica su preocupación por valores morales y religiosos. Una colección de anécdotas que examinan temas clásicos a la luz del pensamiento del siglo XVII, el libro encierra treinta y seis casos (22) de hechos y actitudes, los cuales han sido extensamente elogiados hasta que Zabaleta los vuelve a poner en duda. Sostiene Zabaleta que bajo el asombro y maravilla producidos por estos famosos hechos se encuentran faltas de juicio: por eso el título *Errores celebrados*. A través de sus páginas Zabaleta impugna las conclusiones favorables generalmente sacadas

(19) «Vida madrileña», en *Cuadernos hispanoamericanos,* XXXIV (1958), 5-8.

(20) «The *Costumbrismo* and Ideas of Juan de Zabaleta», en *Publications of the Modern Language Association,* LXXXI (1966), 512-520.

(21) Además de la edición de Madrid, 1653, hubo una de Lisboa, 1665, y siete en sus *Obras en prosa* (véase nota 4).

(22) Tanto la edición de 1653 como la de 1665 presentan treinta y cuatro casos. Todas las sucesivas llevan treinta y seis «errores».

de estas historietas y trata de mostrar que el orgullo, la vanidad, la soberbia, la incontinencia, o la falta de respeto motivan las acciones que él inculpa.

En 1953 nos encontramos con la primera prueba de interés en los *Errores celebrados*: en ese año Martín de Riquer publica su edición de trescientos ejemplares (23). Aunque la falta de aparato crítico limita el valor de dicha edición, Joaquín de Entrambasaguas la recibió con calurosos elogios y abogó por un estudio documentado del texto (24). En un largo ensayo José María de Cossío también señaló la importancia de esta obra (25): «... Zabaleta es autor de un deleitísimo libro, que me parece inverosímil que no conociera el padre Feijóo y hasta que no le tuviera en la memoria al rubricar su obra capital. Se titula el libro *Errores celebrados*» (pág. 314). Tanto Cossío como Entrambasaguas insistieron en el estrecho parentesco entre Zabaleta y el ilustre sabio del siglo siguiente (26).

La presente edición, que pretende ofrecer a un mayor público esta obra tan injustamente olvidada, trata de responder a las ya mencionadas llamadas de atención. Además de esta introducción, lleva unas notas para indicar algo de la cultura de Zabaleta y para trazar los contornos de su sistema de valores.

(23) *Errores celebrados*, ed. Martín de Riquer (Barcelona, 1954. Selecciones bibliófilas, n. 15).

(24) «Juan de Zabaleta y sus *Errores celebrados*», en *Revista de literatura*, VI (1954), 388-390.

(25) «Vuelta a Feijóo», en *Boletín de la biblioteca Menéndez y Pelayo*, XXXIV (1958), 311-327.

(26) Véase Juan Bautista Avalle-Arce, «Feijóo y los errores comunes», en *Nueva revista de filología hispánica*, X (1956), 400-403. Este artículo desarrolla el punto de vista presentado por Juan López Marichal en su «Feijóo y su papel de desengañador de las Españas» en la misma revista, VI (1951), 313-323.

Al considerar la erudición clásica de Zabaleta debemos apuntar que entre su texto y sus supuestas fuentes griegas se encuentran numerosas discrepancias, las cuales demuestran claramente que no podemos aceptar al pie de la letra la ascripción al autor que Zabaleta señala. Hemos visto, y más adelante ofreceremos al lector, una prueba incontrovertible de que Zabaleta no utilizó un texto de Heródoto al escribir el error XXI, aunque alegó que lo había tomado de este historiador griego. Los frecuentes casos de contradicciones entre la versión de Zabaleta y las de Diodoro, Diógenes Laercio y Estrabón, también ponen en tela de juicio la familiaridad de Zabaleta con estos autores. Conviene añadir que no existe prueba o justificación alguna para mantener que Zabaleta conocía el griego. Además, aunque Zabaleta podía disponer de versiones latinas de tales obras, no podemos afirmar con seguridad que las había empleado (27). Sólo en el caso de Estobeo puede asegurarse que Zabaleta se valió de una edición latina.

Es, por lo tanto, imposible documentar con absoluta certeza la manera en que Zabaleta llegó a conocer estos autores griegos. Debemos recordar que en la España de los siglos XVI y XVII se les conocía por epítomes en textos latinos tardíos y en manuales hu-

(27) De estos autores se habían publicado en España solamente las obras de Plutarco (en latín y en español). Véase Theodore S. Beardsley, Jr., «The First Catalog of Hispano-Classical Translations: Tomás Tomayo de Vargas, 'A los aficionados a la lengua española'», en *Hispanic Review*, XXXII (1964), 287-304; y también, James K. Demetrius, *Greek Scholarship in Spain and Latin America* (Chicago, 1965). A pesar de la escasez de ediciones españolas, la familiaridad de Zabaleta con textos latinos de Estobeo es prueba de que en España circulaban traducciones del griego publicadas en otros países europeos.

manísticos de antigüedades (28). Señalaremos que de Ravisio Textor, la fuente alegada del error VIII, podía haber tomado Zabaleta la información con que compuso el error XXI, atribuido solamente a Heródoto.

No existe, por otro lado, prueba cierta con que negar su conocimiento de los autores latinos a quienes censura. Aunque dijo frecuentemente que había comprobado una anécdota en el texto de un autor contemporáneo tanto como en el de un escritor antiguo, *exempli gratia*, «Celébrala [Erinna] Propercio y acuérdala Ravisio Textor» (pág. 37), en ningún caso encontramos discrepancias entre la versión de Zabaleta y la de su alegada fuente latina suficientes para justificar la conclusión de que Zabaleta ignoraba el texto latino.

Nuestras investigaciones nos permiten afirmar que además de las obras de los humanistas quasi-contemporáneos (Zabaleta menciona a Erasmo, Claudio Minoè, Rodiginio, Sambuco, Ravisio Textor y El Volaterano), figuraban en su biblioteca ediciones de Cicerón, Estobeo, Aulo Gelio, Esparciano, Valerio Máximo y Tertuliano. Cabe suponer, también, que había llegado a consultar textos de Diodoro, Plutarco, Propercio y Teodoreto. Zabaleta, como muchos contemporáneos suyos, poseía un vasto fondo de cultura

(28) *Exempli gratia*, A. K. Jameson señala que al escribir Lope de Vega sus obras no-dramáticas, se había valido de textos de Rodiginio, El Volaterano [Maffejus], Ravisius Textor y Diodoro Sículo. Véanse sus artículos «The Sources of Lope de Vega's Erudition», en *Hispanic Review*, V (1937), 124-139 y «Lope de Vega's Knowledge of Classical Literature», en *Bulletin Hispanique*, XXXVIII (1936), 444-501. Alan S. Trueblood, también, cita numerosísimos casos en que Lope había usado un texto de Ravisio Textor: «The *Officina* of Ravisius Textor in Lope de Vega's *Dorotea*», en *Hispanic Review*, XXVI (1958), 135-141.

clásica glosada de infinitas lecturas. Al componer los *Errores celebrados* el autor, que no era estudioso *strictu sensu*, bien podía haber fundido varias lecturas de la misma anécdota. Esta amalgamación presenta un problema sin posibilidades de solución al investigador moderno quien tiene que limitarse a sugerir las experiencias literarias que llevaron a Zabaleta a su versión.

En las páginas de los *Errores celebrados* encontramos prueba abundante de la intensa preocupación de Zabaleta por los valores cristianos, lo que le hace merecer el puesto importante que ocupa entre los escritores moralistas españoles. Su insistencia en la necesidad de la voluntad en los esfuerzos humanos, la defensa de la tendencia innata del hombre hacia la virtud, sus súplicas por el constante examen de conciencia y su fe en un universo divinamente ordenado son eslabones fundamentales en la filosofía de este escritor que había abogado por tantas creencias tradicionales. La discusión que mejor ejemplifica esta faceta del pensamiento zabaletano se encuentra en el error XIII donde censura el respeto concedido a Porcia, la cual había incitado a Bruto a rebelarse contra César (29). En vez de reconocer la herida que ella misma se causó como indicio de coraje, Zabaleta optó por considerarla traición y rebelión contra su gobierno legítimo. Si bien muchos estimaron justificado el hecho de Bruto, Zabaleta, convencido de que César era divinamente ordenado, condenó a Bruto por regicida. Así el autor de los *Errores ce-*

(29) Véase mi artículo «Porcia in Golden Age Literature: Echoes of a Classical Theme», *Neophilologus*, LIV (1970), 22-30.

lebrados concluyó que Porcia fue cómplice de un crimen aún más vil que el homicidio.

Otro aspecto importante del idearium zabaletano es su tierna compasión por los pobres quienes frecuentemente tenían que aguantar la más abyecta humillación en su lucha por la existencia. En su favor Zabaleta imploró que se concediera mejor trato a los hombres reducidos a la servidumbre. Riguroso en su censura de los ricos que dejaron de cumplir con el deber de socorrer a los menos afortunados (30), repetidamente recuerda Zabaleta la virtud de la caridad (31). A la vez, exigiendo la moderación y la discreción, Zabaleta censuró la prodigalidad de los que dan y la gratitud excesiva de los que reciben (32).

Si bien encontramos frecuentemente a Zabaleta dentro de una tradición bien definida, sería injusto y erróneo no mencionar lo nuevo y único de su actitud ante varios temas significativos. El examen del ocio indica su preocupación constante con la idea de que uno no debe rendirse a la holgazanería sino dedicarse a actividades de provecho e importancia (33).

---

(30) Por ejemplo *DFM*, pág. 252 donde Zabaleta inculpa al cazador rico que asiste a la misa pero manda que el criado se quede en la calle a cuidar del caballo del adinerado.

(31) «Ve el necessitado, que al tiempo que a él le está negando Dios los bienes temporales, se los está dando a otros... para que con él lo partan. Y en esto está haziendo el negocio de ambos, porque el vno merece padeciendo, y el otro repartiendo:» (*DFT*, pág. 91). «... el pobre que pide es vn embiado del Cielo...» (*DFT*, pág. 87).

(32) Véase la manera en que Zabaleta censura a Dario en el error XX. También: «Dar es siempre o piedad o gallardía: siempre el arrojar es locura. Dar al que no ha menester es agassajo.... Dar en gratificación de vna culpa es arrojar.... Arrojar es desperdiciar;» (*DFM*, pág. 183).

(33) «El ocio es no hazer nada, porque éste es ocio de muertos, sino hazer algo que deleite.... Y assi es menester elegir buen ocio» (*DFT*, pág. 56). «Sólo el tiempo que trabaja es el que vive. La cantidad de lo que se vive es la cantidad de lo que se obra» (*DFT*, pág. 86). «La pereza es vicio

El reproche de Símile (error VII) por haberse retirado y la condenación de Epicuro (error XXXIV) por no haber buscado más que la mínima existencia confirman su creencia de que el hombre tiene que desempeñar un papel en los acontecimientos importantes de su tiempo. Con esto Zabaleta se alejó radicalmente de la doctrina ascética tradicional que exige la meditación solitaria en vez de la actividad mundana.

De igual modo, al defender Zabaleta la busca de la comodidad humana, se apartó de numerosísimos escritores ascéticos que habrían elogiado la conducta de Epicuro (error XXXIV) y Diógenes el Cínico (error XXVII). El autor de los *Errores celebrados*, sin embargo, censuró a ambos griegos por haber defendido la pobreza absoluta. La abstinencia exagerada de estos antiguos provocó el mismo desprecio con que Zabaleta trató a los egipcios (error III), quienes renunciaron a vivir cómodamente para poderse permitir un entierro y sepulcro suntuosos.

Si bien Zabaleta no luchó por la gratificación ilimitada de los sentidos, mantuvo que un cierto nivel de comodidad era necesario para la vida humana. Por esto a Zabaleta era forzoso admitir que, entre los extremos de la pobreza y la ambición, optaría por ésta. Vemos esta preferencia en el respeto que le otorgó a Viriato (error XXXIV), quien se destacó por su total dedicación a los asuntos de este mundo. Al discutir la carrera del héroe ibérico, Zabaleta defendió su búsqueda de la fama, pero como era de

contra la naturaleza: ella quiere que estén todas las cosas trabajando.» *Milagros de los trabajos*, milagro II, en *Obras completas* (Madrid, 1728). Toda cita sucesiva de los *Milagros* se tomará de esta edición.

esperar, adjuntó una admonición en favor de la moderación (34).

La raíz de sus discrepancias con las opiniones de los escritores moralistas tradicionales se halla en el deseo de Zabaleta de establecer la licitud de tantas necesidades humanas que él perceptivamente había intuido. Así, detrás de la severidad que inicialmente encontramos en Zabaleta, se descubre un observador atento que trata de legitimizar un mayor número de actividades humanas. De este modo no sorprende que Zabaleta defienda el placer de la conversación, el trato social y la expresión de emociones y rehúya el sufrimiento callado y el silencio; estas posiciones también concuerdan con las ideas que sostuvo.

Otro tema que ocasionó una diferencia radical entre el autor de los *Errores celebrados* y la tradición de su siglo fue su defensa de dos profesiones que frecuentemente habían sido blancos de los satíricos de la época. Al ocuparse de los administradores de la justicia (error XXIII), rechazó la desconfianza y el menosprecio con que se les había retratado. Zabaleta abogó también por los médicos (error XXXIII) elogiando sus talentos y haciendo hincapié en el papel esencial que desempeñan en la sociedad (35).

Aunque las opiniones de Zabaleta generalmente son claras e inequívocas, hay ciertos temas sobre los cua-

(34) «El merecimiento y la fama se hazen con el trabajo. Los perezosos ni tienen nombre ni merecimiento. La fortuna dà pocas vezes sus bienes de valde: a estudios, a desvelos, a trabajos sería sus bienes.... Mas ay, que la ambicion es vna fatiga que a todos atormenta, y a todos los que atormenta agrada» (*DFM*, págs. 230-232).

(35) Para la crítica contra los médicos véanse: José Goyanes, *La sátira contra los médicos y la medicina en los libros de Quevedo* (Madrid, 1934) y Agustín Albarracín Teulón, *La medicina en el teatro de Lope de Vega* (Madrid, 1954). La presente edición trae unos ejemplos en las notas al error XXXIV.

les sus frecuentes contradicciones imposibilitan la determinación de su posición. Contrasta violentamente la fuerte defensa del matrimonio y el castigo contra maridos quejosos (error XV) con el comentario despreciativo que inicia su discusión del error XIII (la supuesta complicidad de Porcia en el asesinato de César). Quizá por haber considerado que Porcia abusó de su posición de esposa para incitar a Bruto contra César, Zabaleta superó los límites normales de la literatura antifeminista y denigró el mismo matrimonio. Pero, con la excepción de este solo caso, Zabaleta cantó las alabanzas de las mujeres casadas por su dedicación, su paciencia y su amor (36). No obstante, cuando el autor no se dirigió específicamente a mujeres casadas, casi siempre empleó un tono derogativo. El moralista hizo hincapié en sus graves defectos: una inteligencia floja, la vanidad, el uso de cosméticos, su falta de moderación y su tendencia a la maledicencia (37). Así, aunque debemos reconocer que Zabaleta se ablandó al hablar de esposas y del amor conyugal, tenemos que apuntar el elemento misógeno que dominó frecuentemente en sus escritos sobre las mujeres.

Contradicciones marcadas caracterizan también sus consideraciones sobre la nobleza. Al distinguir entre la nobleza del alma y la nobleza de la sangre, Zabaleta generalmente se mostró más en favor de aqué-

(36) «Muy honesto es el matrimonio.... En la palabra marido se halla cariño y matrimonio» (*DFT*, pág. 39). «Muy iniquo, muy ingrato es menester que sea el hombre que no quiere bien a la muger propia, que cumple con las obligaciones de muger» (*DFM*, pág. 173).

(37) «... estas mugeres esconden la maldita cara debaxo de dos plastas de color...» (*DFT*, pág. 76). «Esta muger no considera que si Dios gustara que fuera como ella se pinta, él la huuiera pintado primero» (*DFM*, pág. 172).

lla (38). Varias veces censuró a los de antepasados ilustres quienes erróneamente presumían que su linaje bastaba para asegurar su salvación (39). Al rechazar esta actitud soberbia, Zabaleta puso en relieve que no se podía tomar el linaje como garantía de la virtud (40). No concuerda, empero, con la condenación del culto de la sangre (41) su censura de Bión (error XXVI) porque en este caso Zabaleta hizo hincapié en los orígenes humildes de Bión para defender la superioridad de los de nacimiento noble. Esta discrepancia sugiere que Zabaleta no podía aprobar en su totalidad ninguna de las posiciones antitéticas: la cristiana que insiste en la virtud como la única medida del hombre y la opuesta que concedía máxima importancia al linaje. Si bien Zabaleta se inclinó hacia aquélla, no pudo superar los prejuicios comunes de su época.

---

(38) «... la virtud es atributo mejor que la nobleza de la sangre... virtud y nobleza son cosas muy distintas: mucho más venerable cosa es la virtud que la nobleza» (*DFM*, pág. 266). «La nobleza que passa al alma es la mejor nobleza; la que se queda en el cuerpo es nobleza escasa» (*DFM*, página 272).

(39) «Pensarà este linajudo que no ay mas que ser noble; pues engañase.... Sin virtud bien puede vno ser bien nacido; pero no podrà ser buen hombre sin ella. Ser mal hombre, siendo bien nacido, no es mas que tener vna razon mas para que le tengan lastima, y ninguna para irse al Cielo. La nobleza no es razón para la otra vida» (*DFM*, pág. 269).

(40) «Desdichado del hombre que no tiene mas señas para su estimacion que el nombre! Solos los apellidos pronuncia. Essas son señas de que nacieron, no de que han viuido. Don fulano de tal significa descendencia, pero no obra: dize sangre, pero no virtudes. Essa es gloria ajena, que no haze lustre proprio» (*DFT*, pág. 97).

(41) «Doy que fuesse Iudio su abuelo, que quiza es mentira; si èl està bautizado, y viue debaxo de la obedencia de la Iglesia, porque ha de pagar el error de su antepasado, si no tuuo en el error parte» (*DFM*, pág. 270). Pero Zabaleta vacila en esto: «... en España piden limpieza de sangre; y no la piden vanamente... que la experiencia ha enseñado que por la mayor parte està la Fè solamente firme en la sangre que nunca flaqueò en la Fè» (*DFM*, pág. 273).

Este análisis de Zabaleta y de sus *Errores celebrados* nos permite ver a un autor empapado en las actitudes de su tiempo. Sin embargo, en repetidos casos sostuvo posiciones nuevas e individuales como sus exámenes del ocio, la comodidad y la vida cívica. Su postura crítica ante las autoridades reconocidas, frecuentemente pero no siempre de acuerdo con el pensamiento cristiano, le permitió considerar un vasto panorama de actividades humanas. Con inteligencia astuta Zabaleta quiso forjar su propio camino innovador sin romper sus lazos con la tradición.

ZABALETA Y LA QUERELLA DE LOS ANTIGUOS Y MODERNOS

Zabaleta, al poner en duda la sabiduría de los antiguos, provocó una polémica erudita con un contemporáneo, padre José de la Torre, cuyos *Aciertos celebrados de la antigüedad* (1654) (42) era la refuta-

(42) Hasta ahora nadie se ha ocupado cuidadosamente de José de la Torre ni de su única obra conocida. De la *Bibliotheca Universa Franciscana* de Fr. Joanne a S. Antonio Salmantino (Madrid, 1732-33, 3 vols.): «Josephus Torre, Hispanus Caesaraugustanus nobili genere natus, Regularis Observantiae, Aragonesis Provinciae, ac Regius Ecclesiastes, typis olim dederat vernaculé opusculum in 8. sub titulo *Peritiae ab antiquis celebrate,* Caesaraugustae per Joannem de Ibar, 1654. Diem clausit extremum Matriti 1674» (II, 255). Las palabras de Felipe Latassa en su *Biblioteca nueva de autores aragoneses* (Pamplona, 1798-1802 en 6 vols.) se repiten en la *Enciclopedia universal ilustrada,* LXII (1928), 1299: «Franciscano español del siglo 17 que, según Latassa, nació en Zaragoza de familia ilustre y, después de obtener varios cargos en su orden y el de predicador de su Majestad, falleció en Madrid en 1679. Dejó *Agudezas celebradas por los antiguos* (Zaragoza, 1654).» El error en el título y la equivocación en la fecha de su muerte fueron corregidos por Manuel Jiménez Catalán en su *Ensayo de una tipografía zaragozana del siglo XVII* (Zaragoza, 1927). De todas las ediciones de la *Historia de la literatura española*

ción punto por punto de los *Errores celebrados*. Sin los argumentos *ad hominum*, tan frecuentes en las polémicas literarias de aquel siglo (43), la disputa entre Zabaleta y de la Torre permite ver la postura de Zabaleta ante la querella de los antiguos y modernos (44). Cuando Zabaleta optó por señalar los defectos en el mundo antiguo, de la Torre defendió vigorosamente este terreno tan caro a muchos hombres de letras españoles (45). De la Torre, quien aseguró nunca haber conocido a Zabaleta, le atacó duramente por presumir de mejor juicio que los sabios de la antigüedad. El franciscano comparó la actitud de Zabaleta con la del aprendiz «... que aspira a la veneración de Maestro, sin pisar rendido primero los umbrales de Discípulo» (*Aciertos*, prólogo). El autor de los *Aciertos* fielmente defendió «... las doctrinas que sirvieron de principios fijos, de textos ciertos y de pauta a todas las edades.... Deven de ser estos dichos

de Ticknor que he llegado a consultar, solamente la tercera edición alemana de Adolf Wolf menciona a de la Torre y su libro al que llama «... eine Sammlung von merkwürdigen Begebenheiten und Anekdoten die de la Torre mit einem schlechten Commentar versehen hat; er wurde später Mönch und starb en 1674 in Madrid» (Leipzig, 1867), pág. 186.

(43) *Exempli gratia*, el ataque feroz de Quevedo contra Juan Pérez de Montalbán cuando éste publicó su *Para todos*. Sobre este tema véanse: Agustín G. de Amezúa, «Las polémicas sobre el *Para todos*», en *Estudios dedicados a don Ramón Menéndez Pidal*, II (1951), 436-437; y Edward Glaser, «Quevedo versus Pérez de Montalbán: the *Auto del Polifemo* and the Odyssean Tradition in Golden Age Spain», en *Hispanic Review*, XXVIII (1960), 103-120.

(44) Sobre esta querella hay que mencionar el libro importantísimo de José Antonio Maravall, *Antiguos y modernos: la idea de progreso en el desarrollo inicial de una sociedad* (Madrid, 1966). Más específicamente sobre la literatura, véanse Emilio Carilla, «Antiguos y Modernos en la literatura española», en *Anuario de filología*, Univ. del Zulia (Venezuela), Año IV, núm. 4, 195-214; y Andrée Collard, «España y la disputa de antiguos y modernos», en *Nueva revista de filología hispánica*, XVIII (1965), 150-156.

(45) Véase Maravall, *Antiguos y Modernos*, esp., pág. 287.

seguros Proverbios y llaves maestras que abran los archivos de la más oculta inteligencia» (*Aciertos*, prólogo).

A la par que de la Torre abogó en favor del valor de estas autoridades antiguas, censuró las que tomaba por opiniones equivocadas de Zabaleta y le comparó a los herejes, «... azotes de la Iglesia... que procuraron disuadir la enseñanza de la Gentilidad erudita, como primera leche de la juventud estudiosa» (*Aciertos*, prólogo). Recordó el autor de los *Aciertos* que San Pedro, varios concilios eclesiásticos y muchos papas habían sancionado el uso de tales textos. Si bien de la Torre reconoció que figuras como Platón, Diógenes Cínico, Sócrates, Aristóteles y Pitágoras tenían sus defectos, sostuvo que no podía negarse el valor de sus preceptos. Al contrario, insistió en considerarles precursores del cristianismo, y concluyó: «... doctrinas salpicadas con la escritura, aunque en tan malas conchas, no dejan de ser perlas de estimación excesiva» (*Aciertos*, prólogo).

La anécdota que mejor ejemplifica el contraste entre las actitudes de Zabaleta y de la Torre es el caso de Diógenes Cínico, quien al intentar forzar su entrada en un teatro en el momento que salía el público, justificó su conducta diciendo: «Yo hago lo que no hacen los demás» (error XII, acierto XII). A la vez que Zabaleta censuró la soberbia y el deseo reprensible de «singularidad» del Cínico, de la Torre lo elogió por la firmeza con que se adhirió a la verdad a pesar de graves obstáculos. Además, de la Torre refutó el ataque de Zabaleta contra Diógenes con estas palabras: «La intención de Cínico no fue enseñar ser raro, sino mover con la novedad del documento.... No es soberbia la singularidad en la obra honesta: como ni humildad hacerse común con todos los que yerran.... El Autor de los *Errores* tiene menos derecho a fiscalizar esta acción que a todas las demás» (*Aciertos*, págs. 61-62). El adversario de Zabaleta, desmintiendo la sátira, se mostró sumamente respetuoso ante estas autoridades reconocidas. Aunque dispuesto a reexaminar los hechos presentados en los *Errores celebrados*, y aun a censurar cuando fuere necesario, de la Torre interrogó: «¿En qué pecaron los aciertos antiguos para darles la calumnia de *Errores?*... Aun cuando los sabios merecen oír injurias, debemos los ignorantes vestirlas de algunos aliños. Si es que, aun así, no es error. Basta proponerles sus yerros como descuidos y las reprehensiones nuestras como quejas» (*Aciertos*, prólogo).

Este respeto por los sabios de la antigüedad y la desgana de criticarles contrastan con la actitud de otro autor español del siglo XVII, Fernando Díez de Leiva, cuyos *Antiaxiomas Morales, medicos, philosophicos y politicos o impvgnaciones varias en estas materias de algunas sentencias admitidas comunmente por verdaderas* (Madrid, 1682) (46) se parece mucho al ataque de Zabaleta. También Díez de Leiva se sentía obligado a declarar la honradez de sus escritos: «... yo aquí censuro piadoso, más por desengañar de muchos errores, que me han causado lástima, por verlos obrar a algunos, introducidos de estos que llaman oráculos, que por demostrarme crítico ingenioso ni erudito: y si acaso esto de camino se descubre, no es el fin de

(46) Palau y Dulcet, *Manual del librero*, 2.ª ed. (Barcelona, 1951) IV, 58, atribuye a este escritor sevillano solamente la mencionada edición de los *Antiaxiomas*.

mi intención, que sabe Dios que es pura y limpia de vanidades, y sólo tirante al dicho desengaño...» (*Antiaxiomas*, proemio al lector). En sus tres partes la obra de Díez de Leiva obedece a un patrón: un axioma, sea en latín o español; un «anti-axioma» en forma de soneto; y un apéndice en prosa donde el autor hace alarde de su extensa erudición para refutar más el axioma. Si bien la selección y la agrupación de los axiomas parecen haberse hecho al azar, el autor se empeña constantemente en mostrar los errores intrínsecos de estas «sentencias admitidas comúnmente por verdaderas». Tanto como Zabaleta, Díez de Leiva indica que por debajo de tantos apotegmas se encuentran flaquezas humanas, *exempli gratia*, la envidia, la avaricia, la perfidia y la vanidad. En sus refutaciones de estos dichos, el autor defiende tales virtudes como la tolerancia, la honestidad y el perdón. En muchos casos los autores citados por Díez de Leiva coinciden con los que alega Zabaleta, *exempli gratia*, Plinio, Plutarco, Cicerón, Aulio Gelio y Diógenes Laercio. También las actitudes expresadas por Díez de Leiva se asemejan a las de Zabaleta en los *Errores celebrados* porque ambos escritores procuraron reexaminar, desde su punto de vista de moralistas cristianos, unas anécdotas bien conocidas. Su perspectiva, si no abiertamente hostil, era bien crítica hacia los dichos y hechos de épocas anteriores.

Quisiera patentizar mi enorme deuda de gratitud con el profesor Edward Glaser quien, desde mis primeros estudios hispánicos en Harvard University, me ha animado tanto por sus escritos como por su magistral enseñanza. Agradezco el interés de don José María de Cossío en la producción literaria de Zabaleta y su favorable acogida de la presente edición. Cabe reconocer, también, el estímulo de don José Heras Vega, dechado de amigo, quien ejemplifica tanto la integridad personal como la industria y la dedicación españolas.

DAVID HERSHBERG.

Otoño, 1969.

Urbana, Illinois.

PRÓLOGO

Las peores mentiras son las que más parecen verdades: no sólo se hacen creer sino venerar y todos imitan de buena gana lo que interiormente veneran. Los hechos y dichos de la antigüedad que aquí propongo son, a mi parecer, errores declarados; pero errores de tan buena estrella que están tenidos en estimación de más que ordinarios aciertos. Pongo junto a ellos la luz de estos discursos porque el que los quisiere imitar vea el despeñadero.

Mi intención ha sido volver por la verdad; pero si acaso fuere la verdad lo que contradigo, habré ejercitado el ingenio sin culpa de mi intención. De cualquier manera es ganancia para mí: de cualquier manera será para el que leyere entretenimiento o ganancia.

En algunas partes de este librillo me opongo a hombres que reverencio; pero reverénciolos como a hombres; déjame fuera de la veneración lo que erraron. Hubieran sido divinos si no erraran. Grande torpeza es de los mortales creer que los que acertaron en mucho acertaron en todo. Fuerte ceguedad es del mundo no ver debajo de un nombre celebrado lo que hay feo. La mejor mina de oro tiene en las venas terrones que en lugar de aprovechar estorban. Cosas hay de quien se aparta el azadón en las venas de la mejor mina. Los mejores entendimientos del mundo erraron en algo. No en todos los alabados es digno todo de alabanza: siempre hay algunas culpas donde hay muchos aciertos. Discreta disposición es del cielo porque no se ensoberbezca el insigne que acierta mucho y porque tenga el insigne que yerra en algo con quien consolarse. La tierra no sabe llevar rosas sin espinas; no sabe hacer cosa cabal la tierra.

No se enojen, pues, conmigo los que me vieron impugnar los hombres grandes, o ellos serán pequeños. Los hombres grandes que yo impugno, si resucitaran, me dieran las gracias del advertimiento. Los varones verdaderamente sabios están mejor con la verdad que consigo mismos. No harán bien de estar mal conmigo los que los aplauden por lo que ellos me agasajaran.

ERROR I

Habló en una Audiencia Pública a César Augusto un pretendiente, y empezó su razonamiento diciendo: «Señor». Óyele el emperador, y el hombre se fue. El siguiente día bajó un decreto para que, en todo el 5 *Imperio, se publicase por edicto que nadie llamase, por escrito ni de palabra, «Señor» al César. Cuéntalo Tertuliano y es acción alabada de muchos.*

Discurso

Los reyes son virreyes de Dios. Si es grande la 10 dignidad de Dios, grande es la del rey, que le está representando. Que es grande la de Dios no tiene

---

8 El texto de Tertuliano donde César Augusto justifica su conducta fue alterado por Zabaleta en los *Errores celebrados:* «Augustus, imperii formator, ne dominum quidem dici se uolebat. Et hoc enim Dei est cognomen. Dicam plane imperatorem dominum, sed more communi, sed quando non cogor, ut dominum Dei uice dicam.» *Tertulliani opera,* Corpus Christianorum (Turnhout, 1954), en *Apologeticam,* XXXIV, 1. Además de la traducción moderna del padre Germán Prado, *El apologético* (Ediciones Aspas: Madrid, 1943), hay una edición de los tiempos de Zabaleta: *Apología contra los gentiles* (Zaragoza, 1644). Sobre el presente tema véanse: Th. Verhoevan, «*Monarchia* dans Tertullien *Adversus Praxean*», en *Vigilia cristiana,* V (1951), 43-48; y Robert M. Grant, «Two Notes on Tertullian», en la misma revista, págs. 113-115.

duda; que es grande la del rey, que es su lugarteniente, es cierto. Dios jamás ha querido ser tratado sin reverencia; el rey jamás ha de querer estar sin reverencia tratado. No ha menester el rey soberbia para estimarse: la grandeza de su oficio le hace que se estime sin culpa. Todo es virtud en Dios y Dios se hace venerar. El rey, que es la imagen de su poder, bien podrá hacerse venerar sin delito. Querer ser monarca César Augusto y quitarse el tratamiento de monarca parece que es haber pretendido la dignidad para echarla a perder. Quítenle a la corona la adoración y no queda corona. La modestia, en las cosas que tocan a la majestad, más es abatimiento que modestia. El rey ha de hacer no sólo que le respeten sino que le admiren. Más ha de parecer que hombre para que le reverencien mucho los hombres. Una de las mayores penalidades de reinar es no haber de hacer el rey en público acción que parezca de humano y ha menester pasar por esta penalidad para granjearse estimación que parezca de divino. Mucho había de ignorar Augusto para ignorar esto. Y no ha de ignorar poco el que no tuviere antes por afectación que por modestia el haberse quitado Augusto la soberanía de que le llamasen «Señor».

Desde Tarquino el Soberbio aborrecía el pueblo romano el gobierno de uno y el nombre de rey con grande estremo. Esto hizo a Julio César, tomándole todo el dominio, conservar el título de Gobernador de las Armas, que esto significa la palabra «emperador». Vio que el renombre de rey era aborrecible y rehusóle. En esta consecuencia y en este conocimiento, sin duda, César Augusto, que fue tras de él en el gobierno, aun quiso desaparecer más la presencia de la corona. No sólo no tomó el título de rey, pero se quitó el nombre de «Señor». Ambos, a mi parecer, erraron pero más el segundo. Fue trayendo Julio César insensiblemente toda la potestad de la República a sus manos. Adquirió el único poder y quedóse con el nombre de Capitán General. Los que le veían mandar como rey e intitularse como soldado podían decir, y dirían: «Este título no concuerda con este oficio; si no es más de general, excede; y si es rey, ¿por qué no se lo llama? Pues no se atreve a llamárselo, injustamente debe de serlo.» Aquí empezó, sin duda, la averiguación de su tiranía y aquí empezó, sin duda, la conjuración de su muerte. Julio César era hombre de tan acreditado juicio, de partes tan excelentes y tan benemérito de aquella República que se puede creer que, con que él hubiera dicho qué convenía, hubiera persuadido a todos, o a los más, a qué convenía. Y habiendo ellos de elegir alguno, teniendo él el mejor lugar y aun la mejor maña, parece preciso que fuese él el que eligiesen. No se atrevió y perdióse. Viéronle con el poder absoluto y sin el nombre de rey, que es el que le significa. Parecióles cautela y acecharon, por la cautela, la tiranía. En faltándole a la corona todo el respeto de corona es muy fácil perderla el respeto. Con mejor fundamento pudo Augusto César llamarse rey porque, en fin, era ya segundo. Tuvo miedo y conservó el nombre de «emperador». Quiso agradar más (parece atención de tirano), y desmedró su autoridad del nombre de «Señor». No conoció que la falta de autoridad había sido el peligro del pasado y ahondó más el peligro. Una de las primeras diligencias del que es tirano es hacer por agradar a muchos, pero, cuando esto es en descrédito de la dignidad que hurta, es una de las primeras diligencias de perderse. La mano con

que más bien se tiene en sus sienes la corona es con la que está haciendo que le reverencien y estimen. El camino de agradar a los más no ha de ser el agrado abatido, porque se volverá el amor en des-
5 precio. Diferente es la senda, pero no es de aquí el descubrirla.

Aun siendo cautela en César Augusto el no llamarse «Señor», fue error el no llamárselo. El rey legítimo, o ilegítimo, de sola una cosa ha de ser ava-
10 riento, que es de la autoridad. Désta no ha de desperdiciar nada. Su ansia ha de ser acaudalar mucha. Más ha de procurar aumentar la dignidad que el reino, porque con poco reino será rey y no podrá serlo si la autoridad es poca. Si César Augusto se
15 consideraba rey tirano, hacía mal en no dejarse llamar «Señor»; porque ¿cómo habían de creer que lo era si no se lo llamaba? Si la ceniza desease que todos la tuviesen por nieve y dijese que la llamasen carbón, ¿cómo había de conseguir lo que pretendía?
20 El rey tirano, aun llamándose rey, hace harto en hacer que lo crean. ¿Qué hará no llamándoselo? Si se consideraba rey legítimo, con no dejarse llamar «Señor», daba a entender que ni entendía su oficio ni se entendía. El oficio del rey es hacer a sus va-
25 sallos que vivan en rectitud y justicia. Si los hombres fueran tan fáciles de gobernar que, con aconsejarles lo bueno, lo hicieran, bastábale al que los gobernaba un título que le significase compañero; pero si es menester mandárselo (¡y aun plegue a Dios que
30 baste!), ¿cómo se han de dejar mandar del que no tienen por señor? La ley de Dios es la más justa y sus reglas se llaman preceptos. En las leyes humanas no tuviera pena el transgresor de la ley si las leyes fueran consejos, porque el consejo a nadie obliga.

Tiene pena, luego es precepto. Los reyes hacen las leyes. Por ellas mandan lo justo. No puede dejar de ser señor el que manda. El que manda y rehúsa este nombre se pone a riesgo de no ser obedecido. Esto era no entender Augusto su oficio, y luego era 5 no entenderse. No se entendía, porque descabalaba su autoridad y era abrir camino para perderla. La cabeza es el sitio de una corona. Todo lo esférico es resbaladizo y la cabeza es esférica. La corona legítima, o ilegítima, está en la cabeza; como ésta es redonda, nada 10 que está en ella está fijo. Todo lo que no está fijo, y lo tocan, está muy cerca de caerse. La corona que se deja manosear está mal segura. Providencia fue armarla de puntas porque nadie se le llegue. Por mal puesta que esté una cosa nadie la ha derribado 15 con sólo tocarla.

ERROR II

Tales Milesio era un filósofo de los muy venerados de la Antigüedad. Éste, entre otros estudios suyos, deseaba averiguarle los movimientos al cielo. Iba una noche a su casa a tiempo que su criada salía della a buscarle. El hombre iba tan divertido mirando a las estrellas que metió un pie en un hoyo y dio con todo su cuerpo en el suelo. Llegó la mujer a socorrerle y, con la libertad de criada de pobre, le dijo: «Levántese, señor. No ve lo que tiene junto a los pies, ¿y quiere ver lo que hacen las estrellas?» Celebra mucho este dicho Claudio Minoé y, con él, medio mundo.

Discurso

¡Qué de siglos ha que se están burlando los ignorantes de los que saben y de los que estudian y qué de siglos ha que lo están errando! Esto poco que

---

12 Entre las obras eruditas de Claudio Minoé (id. est. Claude Mignault o también Claudius Minos) figuran comentarios a varias ediciones latinas de los *Emblemas* de Andrea Alciati. Zabaleta habrá tomado la anécdota del emblema CIV, «Qui alta contemplantur, cadere», donde se retrata a un arquero que tira a un pájaro en vuelo. Después de los versos latinos de Alciati se lee: «Explicat. Claud. Min. Id ex Apologo Aesopi, de aucupe &

sabe el vulgo que no ha estudiado, esto poco con que los hombres sin letras dan señas de racionales, es cogido en las plumas o en los labios de los que estudian y de los que les averiguan la verdad a las ciencias. Y siendo, aun esto poco, tanto, que sin ello parecieran brutos; con lo que lo pagan es o con no estimarlo o con escarnecerlo. Pero ya que el vulgo no paga a los hombres de letras esto que les debe, paga el delito que comete en esto, pues está siempre con la infamia de desagradecido. En la cabeza están los órganos del entendimiento; por ellos recibe el cuerpo del alma la parte divina de la razón. La cabeza se está fatigando por adquirir noticias con que conservar y honrar su cuerpo: bien podía el cuerpo agradecerlo; pero lo que hace, cuando ella más se fatiga, es levantar vapores que la molesten. Los estudiosos son la cabeza donde están los órganos por donde recibe el mundo las enseñanzas del cielo. Fatíganse estos hombres por hacer sabio al mundo, pero el mundo, cuando ellos más se fatigan, levanta unos vapores de desprecios o escarnios con que atormenta y oscurece.

Tales Milesio era un hombre tan inclinado a las ciencias y a las artes que deseaba saber de todas. Aplicóse a la astrología. No me espanto. El alma racional se deriva del cielo; no es mucho que quiera saber cómo es su patria. No toda la astrología es

vispera. Dicitur de Astrologis, qui occupati circa inspectionem rerum celestium, vt inde aliquid se presagire posse putent; non preuideant, quod in terris sibi periculum impendeat.» *Emblemata v. cl. Andreae Alciati* (Patavia, 1618), pág. 185. Sobre la literatura emblemática en España, debe consultarse: Karl-Ludwig Selig, «La teoria dell'emblema in Ispagna: I testi fondamentali», en *Convivium*, XXIII (1955), 409-421; y del mismo, «The Spanish Translations of Alciato's *Emblemata*», en *Modern Language Notes*, LXX (1955), 354-359.

culpable; partes hay en ella que parecen divinas. Y cuando fuera culpable toda, por incomprehensible, los que erraran en ella fueran los que pensaran que sabían algo de ella; pero no los que intentaban 5 conocer si se podía saber algo. Con esta intención miraba andando, una noche, nuestro filósofo, al cielo. Puso el pie en un vago y cayó. Zahirióle su criada el divertimiento y en ella toda la parte del mundo que la aplaude. Díjole que ¿cómo 10 quería ver lo que había en el cielo si no veía lo que tenía a los pies en la tierra? El mucho vino a unos los hace callados y a otros los hace habladores. La ignorancia es como el mucho vino: a unos los hace no acertar a despegar la boca y a otros los hace 15 decir boberías. ¿Qué querría esta vieja bachillera decir con lo que dijo? Hízola hablar la ignorancia y hízola hablar como el vino: obligóla a decir un disparate. Si este hombre no miraba al suelo, ¿cómo había de ver lo que en el suelo había? No lo vio 20 porque no lo miraba, que si lo mirara lo viera. Miraba al cielo, luego pudo ver algo de lo que en el cielo se hacía, pues lo miraba. Si cayera mirando al suelo y ella le reprehendiera con esta ocasión el estudio de la astrología, aun llevaba más camino, aun 25 hacía más fuerza; pero si cayó mirando al cielo, ¿qué milagro fue que cayera si no miraba donde ponía los pies?

El vulgo celebra el dicho de esta vieja ignorante porque piensa que dio a entender que no se podía 30 saber nada de la astrología, y de lo que dijo se infiere que se puede saber algo della, pues nadie cae en donde

5 Aquí su defensa de la investigación científica patentiza la modernidad de Zabaleta.

mira. Si quería que a un mismo tiempo mirase al suelo y al cielo, ya se ve si fuera desatino, pues quiso un imposible. Al cielo y al suelo no se puede mirar de una vez. Quien mira al suelo no cuida del cielo; quien mira al cielo no se acuerda del suelo. El que quisiere ver esto con claridad, atienda a los virtuosos y a los estudiosos. A los virtuosos, en tantos religiosos y en tantas diferencias de estados; a los estudiosos, en tantas universidades y en tantas ciudades populosas. Mira el religioso al cielo y estáse en él todo. Olvídase de la tierra, como no la mira, y olvídase de su cuerpo, como es tierra. No cuida de su sustento y deja que se lo sustenten con una mala comida. No atiende a su vestido y anda tan mal vestido que es lo mismo que andar desnudo. No ve los tropiezos del suelo y anda descalzo, como si no le pudieran lastimar los tropiezos. Mira al cielo y cae en las descomodidades de la tierra. No pudo mirarlos a entrambos de una vez y cayó donde no miraba. Los estudiosos miran al cielo, que es de donde bajan las ciencias; no miran al suelo, que es donde las comodidades se hallan, y quédanse sin comodidades. Andan mal vestidos, porque el vestido ha menester cuidado, y ellos no ponen cuidado en el vestido. Andan pobres, porque es la tierra donde se encuentra el oro y ellos no miran a la tierra. Caen en desestimaciones porque miran al cielo, y es porque no estiman al cielo los que los desestiman. Cayó el filósofo porque miraba al cielo. Todos los que miran al cielo están caídos.

5 10 15 20 25 30

ERROR III

Los egipcios antiguos vivían en casas muy pequeñas y se prevenían de sepulcros muy grandes. Las viviendas las hacían de infame materia, los entierros de nobilí-
5 *simos mármoles. Vivos, se trataban como muertos y, muertos, se trataban como vivos. Como esto tiene el estilo tan encontrado con la humanidad, lo alaba mucho Diodoro Sículo y, persuadidos de su autoridad, otros muchos.*

10 ### Discurso

Si fuese mejor estado el de un cadáver que el de un cuerpo vivo, estos egipcios tenían razón; pero si fuese lo contrario, hacían un error grande. Ahora se

---

8 La traducción de la obra de Diodoro hecha por Poggio Bracciolini antes del 1449 fue editada en 1472, 1476 y 1531. Había muchas ediciones latinas y griegas durante los siglos XVI y XVII. Además existen traducciones fidedignas al inglés, italiano, francés y alemán. «Nam regionis huius incolae tempus vitae limitibus circumscriptum perexigui aestimant. At quod celebrem a morte virtutis memoriam habiturum sit, illud pendunt maximi. Et domicilia viuentium *diuersoria* nominant, quod exiguum ad tempus haec incolamus. Defunctorum vero sepulcra *domos eternas* appellitant, quod infinitum apud inferos aeuum peragant. Quamobrem de structura domorum minus sunt soliciti: in adornandis autem sepulcris

verá si le hacían. Lo primero que hace un cadáver es no sentir: ¿qué gusto hay para el que no siente? Pierde la gracia y la hermosura de hombre; si tiene alguno por felicidad el ser feo, ése tendrá por buena suerte morirse. Conviértese en tierra y es mientras se 5 convierte de menor valor que la tierra. Tierra hay que lleva flores y él no lleva más que gusanos. A tres días de muerto un hombre, huyen dél los que más le quisieron. A los ojos, a que sirvió de espejo, sirven de espanto. Un cuerpo muerto queda intrata- 10 ble. ¿Cuándo ha sido lo intratable bueno? Dejó de ser hombre, perdió la mayor dignidad. Pasóse a ser nada; llególe la mayor desdicha. Un hombre vivo es el mejor de los animales; muerto, es mejor que su cuerpo cualquier animal vivo. Un cadáver no sirve 15 sino de horror y embarazo. El que se previene estimación para cuando sea cadáver, mete en vanidad a los enfadosos. Ponerme a contar los defectos de un cuerpo muerto es contar lo que todos saben y tomar una ocupación que me durará más que la 20 vida, por larga que sea; sirva lo que he dicho de acordar lo que dejo de decir.

El hombre vivo, lo primero es hombre, no se le puede mejorar la naturaleza. Es su cuerpo compañero de su alma, es celestial la compañía. Para él 25 trabajan las estrellas: mucho debe de valer, pues hace trabajar al cielo. Por él vuela el sol. Por él

eximiè nihil studii faciunt reliquum.» Diodori Siculi, *Bibliothecae historicae libri XV* (Hanoviae, MDCXI), I, 51, 1-4. Los párrafos 91-93 tratan con más detalle las costumbres funerarias egipcias. No cabe duda que en España conocían a Diodoro, *exempli gratia*, «Diodoro Sículo dice que era ley entre los egipcios que ningún rey, después que nasciesen hijos, ni ningún viejo, después que pasase de sesenta, fuese osado de edificar casa sin que primero tuviese hecha para sí sepultura.» Antonio de Guevara, *Epístolas familiares* (Madrid, 1950), I, 236.

corre la luna. Por él no sosiegan los planetas; por él influyen. En su servicio se fatigan los elementos; el fuego, por obedecerle, atado a un leño, se consume; tan dueño es el hombre suyo, que le prende en un 5 pabilo. El aire respira por serle de algún provecho. El agua se arrastra y se despeña por asistirle. La tierra se rompe en flores y frutos por divertirle y sustentarle. El cuerpo con vida conserva el mundo, aumenta la especie, ayuda a formar República, suele 10 ser gloria y adorno della. Cuando es menos, es miembro suyo vivo, y no hay miembro vivo que no sirva de algo. Numerar las grandezas de un cuerpo, a quien el alma asiste, sería el mismo trabajo que referir las tachas de un cuerpo, a quien ha desampa- 15 rado el alma. Iguales son en número los defectos del uno y las perfecciones del otro.

Considérese, ahora, si los egipcios erraban en tratarse bien muertos y en maltratarse vivos. No podían ignorar estos hombres que es mejor estado el 20 de la vida que el de la muerte; y si no, díganme, ¿cuál de ellos deseaba morirse? Yo apostaré que ninguno. Si al más infeliz, si al más necesitado dellos le preguntaran cuál quería más, servir a otro pobre o morirse, no hay duda que respondiera servir a otro 25 pobre. El que antes que la muerte tomara esta desdicha, siendo tan grande, por gran desdicha debía de tener la muerte. Si a uno déstos, a quien faltasen desde junto al vientre las piernas y desde junto a los hombros los brazos, le dijesen que se matase con 30 veneno por salir de una vida tan sin remedio desconsolada, diría, sin disputa alguna, que no quería y diría muy bien, porque para vivir no son precisamente necesarios brazos y piernas sino alma. Quien vive con entendimiento tiene muy bastantes razones por qué amar la vida. Entre esta gente no era la muerte voluntaria delito, y todos aguardaban la muerte: raro era el que se la tomaba; luego no tenían por bueno lo que estando tan a la mano no lo cogían. Si estos hombres tenían por mejor estar muertos que vivos, ¿con qué castigaban a los facinerosos? En esta República, delito había con pena de muerte. Luego no tenían por comodidad lo que daban por castigo. Veamos, pues, ahora, qué razón se puede dar para que estos egipcios viviesen en malas casas y se enterrasen en buenos sepulcros. Yo no daré razón porque no la hallo; pero daré dos vicios que parecen la causa. Eran, a mi parecer, avarientos y ambiciosos. Dirélo con más claridad: eran mezquinos y vanos. Que eran avarientos, no admite dudas; pues no se atrevían a fabricar ni vivir en edificios grandes y costosos, así por el dinero que ellos gastaban como por el dinero que era menester después gastar en ellos. Una casa grande requiere muchas alhajas, pide mucha familia que la habite. Mucha familia y muchas alhajas no se pueden tener sin mucha costa y era la costa de lo que ellos huían. ¡Oh bárbaros! La casa bien dispuesta y bien alhajada es una de las prendas más dignas de estimación que le debemos a la fortuna.

La vivienda gustosa no está enmendando a la naturaleza y al hado. Si hace frío, ella le quita sin el tufo del carbón y sin el humo de la leña. Si hace calor, ella le templa sin la fatiga del abanico y sin el desaliño de la desnudez. Si viene la enfermedad, la mitad de la enfermedad es menos la buena casa. Si sucede el disgusto, padece menos el alma con las

31 Menos: aquí equivale «no tener».

comodidades del cuerpo. Si enfada la compañía de los hombres, la soledad apacible de la buena habitación desenfada. Si engañan en la calle los maliciosos por hacer daño, en casa engañan las pinturas por
5 hacer gusto. Quien, pudiendo tener todas estas comodidades, no las tiene, si no las deja por Dios, hace un gran desatino. En esto se verifica que la avaricia, en cierto modo, es contra la naturaleza. Está la naturaleza criando siempre materiales con
10 que se labren estas conveniencias y los avarientos no labran las conveniencias por no comprar los materiales.

Que era ambición tampoco tiene duda, porque nadie se labra sepulcro suntuoso a sí mismo sin vana-
15 gloria. Parecióles que esto se hacía con cuatro piedras y dos oficiales, y lograban a poca costa ambos vicios. ¡Infeliz turba, que aguardaba a morirse para ser algo! Linda locura era forcejar con la naturaleza, y cuando ella los deshacía, querer hacerse ellos. Podráme decir
20 alguno que, por lo que estos egipcios vivían en casas pequeñas y desacomodadas, era porque juzgaban que para una vida tan corta no era menester mejor hospedarse. Yo le confieso que es corta la vida; pero también él me ha de confesar que un mal día es muy
25 largo. Una vida se compone de muchos días: si a éstos no se les buscan alivios, será la vida posesión muy cansada. Diráme también este mismo que el hacer estimación de sus cadáveres era por ser tierra en que había estado un alma. Pues dígame él a mí,
30 ahora, si este cuerpo era digno de estimación porque había tenido un alma, ¿cuánto más digno era de ella cuando la tenía? Estimar y venerar los hijos los difuntos huesos de sus padres es mucha razón, porque fueron su primera vida. Estimar y engrandecer los

padres las cenizas amadas de sus hijos es muy justo, porque fueron su vida segunda. Pero andar cuidando uno de la estimación de su cadáver que, con el hedor y la fealdad, le ha de deshonrar la naturaleza, y que, con el favor de alabanza propia, se ha de volver vituperio, ¿cómo puede dejar de ser vicio o locura? Alábelos quien quisiere, que, a pesar de los aplausos, ha de ser desatino tratarse mal cuando es dolor y tratarse bien cuando no hay sentidos que reciban el gusto.

ERROR IV

Concurrieron a un convite, que hacía un amigo a muchos amigos, Solón y Periandro, dos hombres de muy venerado entendimiento. Empezóse la comida y hablaban todos; solamente Solón era el que callaba. Reparó Periandro, que era opuesto suyo, en aquel silencio y díjole en voz recatada al que estaba a su lado: «Solón calla de entendido o de bobo.» Oyólo Solón y dijo, también en voz baja, volviendo un poco el rostro hacia ellos: «Los bobos no callan en los convites.» Celébralo y admíralo Juan Estobeo.

Discurso

Los convites los inventó la amistad o para empezarse o para rehacerse. En ellos el cariño o se engendra o se alivia. En un banquete llama la amistad a la naturaleza humana a recrearla y entretenerla. Lo

11 Estobeo, criticado en los errores IV, XIX, XXIV, XXVI, XXVII y XXXV, es el autor más censurado por Zabaleta. «Solon inter pocula tacitus, interroganti Periandro, an propter verborum inopiam, aut ob stultitiam taceret, respondit: Atqui nullus stultorum in conuiuio silentium praestare potest.» *Sententiae ex thesaurus Graecorum delectae*, 3.ª ed. (Tiguri, 1559), sermón 34, «De tempestiva oratione», pág. 215.

menos a que convida es al gusto de los manjares: éste no sirve sino de señuelo. Lo grande a que convoca es al dulcísimo sabor que hallan los hombres en el concurso de los amigos. Aquí van a divertirse los unos a los otros. El alterno decir y el alterno escuchar hace en todos un deleite continuado. 5

Irse a callar a un convite es una de las mayores frialdades que puede hacer un hombre, porque no sólo priva a los otros del gusto de verse ayudados en la conversación sino que los desanima para que 10 digan, porque el que calla parece que se enfada de que los otros hablen y allí se teme mucho el enfadarse unos a otros. Dejar caer la cara sobre el trinchero y no servirse de la boca más que para comer es hacer un remedo muy parecido de una bestia en 15 un pesebre. En los convites hay un plato que, con ningún dinero, lo puede hacer nadie en su casa estando solo, que es el gusto de la bulla festiva. Quien no come de este plato, coma en su casa. Una de las cosas que más nos diferencian de los brutos es con- 20 vidarnos unos a otros. Los animales sin discurso, en cogiendo la presa, buscan el rincón. Coger un hombre el plato y meterse con él en su silencio es salirse del convite y desmentirse de hombre.

Si la gula es mala, el hablar en los convites es 25 bueno. Que la gula es mala no tiene duda. Luego tampoco la tendrá que es bueno hablar en los convites, pues es contra la gula. Comer y hablar a un mismo tiempo no hay quien lo haga. Oír y comer a un tiempo mismo, lo hace cualquiera. Los que oyen 30 y comen en un convite acaban primero aquella parte que les ha tocado de la vianda que está servida. En viendo que están algunos parados, introducen otro manjar los ministros; entonces les es preciso a los

que hablan dejar casi entero el plato que tenían por hacerle lugar al que entra de nuevo: con que el que habla en un convite no sólo está más festivo sino más templado. Al que yo viere en un banquete no
5 hablar y comer, le tendré por glotón; al que viere que ni come ni habla, le tendré por insensato. Yo confieso que se ha reñido más veces por hablar que por callar; pero también conozco que se han empezado más amistades hablando que callando. Muchas
10 veces ha habido disgustos en los convites y muchas, también, han empezado a ser amigos en ellos los que no se conocían. Si el hablar tiene un riesgo, el callar tiene otro. Ninguna cosa hay tan cabal que no tenga alguna parte mala. El silencio, por la mayor parte,
15 es bueno y es malo en alguna parte. La prudencia es quien la perfecciona. El hombre cuerdo ha de ser callado, pero no ha de ser mudo. La lengua es bien que se guarde, pero no que se ate. La moderación en el hablar tiene virtud de silencio. Nada hace su-
20 perfluo la naturaleza. Si fuera bueno callar siempre, no le hubiera dado al hombre facultad de articular palabras. Vigor tiene de espada la lengua. No siempre la espada ofende. Buena es cuando defiende. No es mala cuando adorna. La lengua cuando ofende es
25 perversa, cuando defiende es precisa y cuando deleita es gala. Culpable está dondequiera el que habla injurias, loable el que habla razones, amable el que dice donaires. A descansar de racionales van los hombres a los convites. Allí es discreción decir boberías
30 blandas; prudencia es allí no tener prudencia. En la lengua está el sentido del gusto. Trampa es conocida en los banquetes recibir el agasajo por la lengua y negar en la lengua el agasajo. Por la lengua se recibe el sabor de los manjares; justo será que la lengua dé

a los oídos el gusto de las palabras. Quien se queda con lo que debe siempre comete culpa. Culpa cometerá la lengua que no paga el gusto que debe. En la lengua está el sentido del gusto, pero no en toda la lengua; en un nervio que hay en medio della escondido se limita. En la lengua está la facultad de formar palabras, pero no en la lengua toda; el extremo anterior es el que las articula. En los convites ni ha de ser todo hablar ni todo comer, pero se ha de comer y se ha de hablar, pues ni es toda la lengua para hablar ni toda para comer.

ERROR V

Egnacio Metelo, romano, mató a su mujer porque la vio beber vino, y los jueces de aquella República no sólo no le castigaron, pero ni le reprehendieron, aprobando con el silencio la entereza, pareciéndoles que destas dos cosas se formaba un ejemplo provechoso para que ninguna mujer se atreviese a violar las leyes de la templanza. Refiérelo Tertuliano.

Discurso

Había ley en Roma para que ninguna mujer bebiese vino. Si una regla está torcida, lo que por ella se hace no sale derecho. Si una ley es mala, lo que por ella se obra sale errado. Mucho más dificultoso

8 «Circa feminas quidem etiam illa maiorum instituta ceciderunt, quae modestiae, quae sobrietati patrocinabantur, cum aurum nulla norat praeter unico digito, quem Sponsus oppignerasset pronubo anulo: cum mulieres usque adeo uino abstinerentur, ut matronam ob resignatos cellae uinariae loculos sui inedia necarint, sub Romulo uero quae uinum attigerat, impune a Metennio marito trucidata sit.» *Apologeticum*, VI, 4. Esta anécdota celebérrima se encuentra en *The Roman Antiquities of Dionysius of Halicarnassus*, II, 25, 6; Aeliano, *Varia Historia*, II, XXXVIII; Valerio Máximo, *Dictorum Factorumque memorabilium libri IX*, VI, III, ext. 9; y *Omnia Andreae Emblemata*, XXIV, con comentario de Claudio Minoé (op. cit.).

es adornar la patria de buenas leyes que dilatar sus términos con las armas, porque lo primero lo hace la razón y lo segundo la osadía. Más valientes debían de ser en aquel tiempo los romanos que entendidos, pues lo que ganaban con las armas lo echaban a perder con las leyes. El hombre sin entendimiento no es hombre, la ley sin razón no es ley. Mandarles a las mujeres que no beban vino o es quitarles el sustento o negarles la medicina. La ley no sólo ha de ser posible sino fácil, porque lo imposible no se puede hacer y lo dificultoso se hace con grande penalidad. Lo muy dificultoso tiene aspereza de imposible y lo imposible a nadie obliga. De tal temperatura puede ser el cuerpo de una mujer que no pueda pasar sin un poco de vino. La ley es una razón que está embebida en la naturaleza. La ley que a la naturaleza se opone no es de buena naturaleza para ley. El tiempo es el que perfecciona el mundo y él tiene derogada esta ley de los romanos. Ley que cuando está el mundo más perfecto no se usa della, sin duda era imperfección para el mundo. Un precepto parecido a esta ley, y aun más general que ella, dio en su Alcorán a los agarenos Mahoma; y siendo todo el Alcorán un montón de desatinos, sobresalió tanto éste que, con toda su barbaridad, le han conocido los sectarios y no le observan. Tiénenle en el libro pero no en el respeto. No hay entre todos ellos quien le guarde si no es el archivo. Todos beben públicamente el vino que se les antoja.

Cuando esta ley de Roma no fuera por la dificultad intolerable, era por el efecto insufrible. Una de las utilidades que produce la ley justa es la paz: ¿cómo podía ser buena ley la que introducía discordia doméstica? Pero doy que la ley fuese buena, ¿cómo

podía tener por pena la muerte, siendo tan desiguales la pena y el delito? Y doy que fuese la vida el precio con que se pagaba su quebrantamiento, ¿quién hizo a este hombre ejecutor desta ley? Esto toca a
5 los jueces; en los que no lo son, es delito distribuir las penas que las leyes imponen. No sólo no le era a él dada esta facultad, pero ni le podía ser dada. A nadie se le puede cometer que se dé la muerte a sí mismo ni a nadie se le puede mandar que ejecute en
10 su esposa pena de muerte. El marido y la mujer componen un cuerpo. Cometer a un marido que mate a su mujer valdría tanto como mandarle que él a sí mismo se quitase la vida. El matrimonio pudo hacer de dos uno: de uno no pueden hacer dos las leyes.
15 La mujer convencida jurídicamente de adúltera pierde las prerrogativas de esposa; por esto ponen las leyes el cuchillo en las manos al marido. La que no cometió adulterio, esposa se queda. La que es esposa es una misma cosa con su marido. A nadie se le co-
20 mete el castigo de su misma culpa ni a nadie el castigo de los delitos de su esposa, porque fuera hacerle juez de sí mismo. De suerte que Egnacio Metelo ni era ni podía ser juez de aquella causa, con que cometió un homicidio enormemente grave y malicioso.
25 Pero cuando lo pudiera ser, y lo fuera, quedaran las leyes muy gustosas de que no las hubiera obedecido, habiendo tantas razones de buena atención para no obedecerlas. Dura y tremenda cosa es que el marido, por quien dejó una mujer a sus padres, que fueron
30 en lo natural los autores de su vida, se la quite a ella. Fiera cosa es que el hombre, a quien una mujer se ha acogido y escogió por amparo y defensa, no sólo no la defienda y ampare sino que la dé la muerte. Es la mujer rama del árbol que forman marido y

mujer para dar al mundo el fruto de los hijos. Mucho debe amar el árbol a la rama que le ayuda a llevar tan dulce fruto. En un casamiento emparientan dos linajes y se obliga al abrigo y tutela el uno del otro. ¿Con qué ánimo el marido, que está presidiado con- 5 tra los accidentes de la humanidad en la parentela de una mujer, puede ofender la vida de aquella mujer a quien debe este presidio?

Es la mujer el sol de una familia. Ella la vivifica, ella la adorna, ella la ilustra. El sol dice que tiene 10 una mancha; no será mucho que una mujer tenga una tacha. Loco y desagradecido sería quien por un defecto dejase de estimar al sol en mucho. Loco y desagradecido y aun más que desagradecido y loco sería quien, por un defecto, se volviese contra aquella 15 vida a quien debe tantos beneficios.

Metelo erró contra innumerables razones; pero fue error dichoso, pues hubo otro error que le amparase. Llegó a los oídos de los jueces el caso, confiriéronle entre sí, parecióles celo de la observancia de las leyes 20 y, aunque era celo mal ordenado, no sólo le dejaron sin castigo, pero ni le prendieron ni le reprehendieron. Con la omisión le dieron por libre y con el silencio le alabaron.

Los jueces no pudieron perdonar los delitos porque 25 son ministros de voluntad ajena. Sirven a la suma razón; ella quiere que se castiguen; ¿cómo los pueden perdonar ellos? Sólo Dios puede y el príncipe en su nombre porque, cuando hizo la ley, no se quitó la potestad de alterar la ley. Esta licencia no la tienen 30 los jueces que están pendiendo de aquella voluntad. Que este hombre cometió delito no tiene duda porque obró como juez, no siéndolo, y cuando lo fuera, excedió, porque aquel delito no era digno de muerte.

Si el arrebatamiento pareció generoso, ¿cómo sabían los jueces que fue en favor de la ley el arrebatamiento? ¿Tan pocas enemistades hay entre los maridos y las mujeres que no se podía presumir que 5 aquellas heridas las dio la enemistad y no el amor de la justicia? Si este hombre tuviera amor a su mujer, aunque la viera delinquir y tuviera facultad para quitarle la vida, no se la quitara. El amante no ve los defectos del sujeto. Todo en él le parece do- 10 naire, todo le parece gracia. El amor a sofisterías hace las imperfecciones hermosas. No hay abogado que tan bien desparezca las culpas. No hay retórica que dé tan buen color a los errores. Si la aborrecía no le hacía falta la razón para matarla. El odio bas- 15 tantemente incita. No ha menester el aborrecido para padecer, para morir, más culpa que su desgracia. La enemistad de las perfecciones hace delitos. Si la discordia no es nueva ni extraordinaria entre los casados, ¿cómo estos jueces no pensaron que podía ser 20 causada aquella atrocidad de la discordia? Las más cosas desta vida no son lo que parecen. No pudo dejar de ser ignorancia dar por bueno aquel hecho, por sola la apariencia.

Todas estas razones atropellaron, por hacer un 25 ejemplo terrible, para que ninguna mujer se atreviese a violar las leyes de la templanza. El ejemplo ya lo hicieron; pero también hicieron una consecuencia para que cualquier marido que estuviera mal con su mujer la pudiese matar sin el riesgo del castigo. Con 30 fingirla delincuente, se ponía el homicida en salvo. El fruto que prometía el ejemplo era que las mujeres no bebiesen vino, no siendo el beberlo culpa o siendo culpa leve. El efecto que se podía temer de la consecuencia era que los maridos que estuviesen cansados de sus mujeres se valiesen de un título virtuoso para matarlas. Pues entre este ejemplo y esta consecuencia, ¡cuánto mejor era dejar un ejemplo, que importaba poco, que hacer una consecuencia que amenazaba mucho! Un comediante más fácilmente imita la persona de un hombre vulgar que la de un príncipe, porque está más cerca de su naturaleza. Los mortales mejor imitamos lo malo que lo bueno, por que es más conforme a la condición humana. ¿No podían estos jueces dudar que antes se seguiría la consecuencia por mala que el ejemplo por bueno? Con que parece que queda averiguado que, en el caso presente, la ley fue inadvertida, la muerte injusta, el juicio errado, el ejemplo inútil y la consecuencia perniciosa.

ERROR VI

En la provincia de Eretría, en uno de los lugares que están en la costa del mar Bermejo, había un labrador con tantas señales de pobre cuantos hijos tenía, y eran
5 *muchas las señales, porque los hijos eran muchos. El rico con muchos hijos es pobre; el pobre con muchos hijos, pobrísimo. Uno, pues, de los que tenía este labrador necesitado, al entrar en los diez y seis años, le pidió licencia para ir a buscar por el mundo mejor*
10 *fortuna de aquélla en que había nacido. Es la pobreza tan mala de sufrir que, aun a costa de los hijos, se huelgan todos de salir della. Dióle el labrador la licencia que pedía. El hijo le besó la mano y partióse. El camino que tomó fue de Atenas. Acabó su camino; en-*
15 *tró en la ciudad; discurrió por ella, mirando a qué ejercicio se aplicaría. Vio entrar en una casa mucha gente y entróse con los demás en ella. Era la casa las escuelas de aquella ciudad. El muchacho, aunque rústico, era inclinado a las letras. Parecióle que había*
20 *hallado lo que había menester y determinóse a padecer y estudiar. Fue discípulo de Cenón. Gastó en esto algunos años y, cuando le pareció que sabía bastantemente, se volvió a su tierra. Llegó una tarde a su lugar, entró por las puertas de su casa, halló a su padre en el*
25 *portal aderezando un yugo y saludóle. El viejo levantó*

los ojos a ver quien le hablaba, conoció a su hijo y, viéndole a pie, solo, casi desnudo, le dijo que ¿cómo venía de aquella manera, que adónde estaba la riqueza que había ido a buscar por el mundo? El estudiante respondió que allí la traía, entendiendo por la riqueza 5 *las letras. El padre le replicó ya casi enojado: «¿Dónde?» El hijo le respondió con la misma falsedad que allí, consigo. Pareciòle al labrador que hacía burla de él y cogió una cayada, que se halló a mano, y dióle con ella muchos golpes. El mozo ni se movió ni habló mientras* 10 *el padre quebraba en él el palo y el enojo. Cansóse el viejo y dejóle. Entonces le dijo el mozo con voz sosegada y sentida: «Veis aquí, señor, la riqueza que traigo: saber sufrir esto.» Cuéntalo por cosa admirable Rodiginio.*

Discurso 15

Si los hombres de entendimiento y de letras que refieren este caso se engañan tan excesivamente, ¿qué mucho es que el vulgo, sin letras y sin entendimiento, que le recibe ya venerada, se engañe? Admiran las palabras de este hombre cuantos las escriben y cuan- 20 tos las leen, como si para honrar y sufrir a los padres

14 Rodiginio, humanista italiano de Rovigo (1469-1525), escribió *Lectionum antiquarium libri XXX* Venetia, 1516) que se volvió a publicar en 1542 y 1560. Se le conocía bajo varios seudónimos: Ludovico Celio, Celio Rodiginio y Lodovico Ricchieri. No he podido localizar esta anécdota en el texto de Rodiginio pero sí lo encontré en Aeliano: «Repónse d'un jeune homme à son père. Un jeune Erétrien avait long-temps fréquenté l'école de Zénon: à son retour, son père lui demanda ce qu'il avait appris chez le philosophe. 'Vous le verrez', répondit-il. Le père, indigné de la secheresse de cette réponse, le maltrait: 'Vous voyez', lui dit le jeune homme sans s'émouvoir, et maître de lui-même, 'que j'ai appris á supporter le courroux de mon père'.» *Histoires diverses d'Elien*, trad. M. Dacier (París, 1827), IX, 33.

fueran menester las universidades y los libros. No hay cosa tan natural. El primer amor que infunde la naturaleza en el corazón humano es el amor a los padres; el segundo respeto que enseña la razón es
5 su respeto. Para saber que el sol alumbra, nadie ha habido menester estudiar; para saber la reverencia que a los padres se debe, nadie ha tenido necesidad de aprender. Esta ley no se lee, sino se halla; no se estudia, sino se sabe; no se oye, sino se entiende.
10 Desde el mismo punto que toman los humanos la posesión de racionales, desde el instante digo, que se les da el uso de la razón, saben todos que a Dios se le debe suma reverencia, veneración suma, y esto tan cumplidamente que no hay quien a sus retratos, sa-
15 biendo que lo son, les pierda el respeto. Poco después saben todos que los padres son retratos de Dios y tan semejantes que, si Dios da la vida, ellos parece que la dieron; que si Dios da el sustento para los hijos, le da por su mano, porque se crea que le dan
20 ellos; que si Dios da la luz con que se vive, ellos son tenidos por la causa de gozar de la luz. De cuanto con la vida granjean los hombres, tienen por acreedores a sus padres, porque los tienen por autores de la vida; y de la manera que si una estatua pudiera
25 hacer algo, fueran sus obras más del que la hizo que suyas, porque él hizo que las hiciera; es todo cuanto obran los hijos de los padres, porque ellos son las causas de sus obras. De mano de los padres parece que lo tienen todo, porque les parezcan retratos vi-
30 vos de Dios los padres. Pues si nadie pierde el respeto a una imagen de Dios, ¿por qué ha de hacer extrañeza a nadie que este villano estudioso tenga a su padre respeto, si por imagen de Dios le tiene ya conocido? ¿Hubiera alguno tan bárbaro y tan sacrí-

lego que, si viera que un retrato de Dios que estuviera en una pared sacaba de la pared el brazo para herirle, no huyera con humildad y susto del amago o guardara con asombro y reverencia el golpe? No por cierto. ¿Pues qué mucho es que este mozo, viendo que un retrato de Dios, y retrato tan parecido como es el padre, levantaba contra él el brazo, aguardara con humildad y silencio tan sagrados rigores? Los padres, por la semejanza que tienen con Dios, son unos dioses caseros, unas deidades de tierra, una divinidad tratable, con que no es mucho que un hijo venere mucho a su padre, si no hay quien no venere lo divino.

Por las palabras que dijo este hombre, después de haber recibido los palos, merecería muchos más porque quiso dar a entender que las riquezas que traía eran muchos estudios; y dio a entender que no había estudiado. La razón es clara, porque si lo que había estudiado era aquello, aquello no era menester estudiarlo. El conocimiento de la veneración que debía a su padre, consigo se le llevaba, con él había nacido. Decir que había aprendido lo que sin aprenderse se sabe era dar indicios de que no había visto escuelas, pues ponía en la cuenta de lo que decía que había estudiado lo que ya sabía.

Si este hombre no hubiera ido a estudiar y su padre hiciera con él lo que hizo, ¿qué hiciera él con su padre? Según la significación de sus palabras, embistiera con él, derribárale en el suelo, quitárale el palo y diérale de coces. Si a él le preguntaran si hiciera esto con su padre, antes de haber estado en la universidad, ¿qué respondería? No hay duda que respondería que, por todo el mundo, no lo hiciera. Pues si antes de estudiar tuviera este respeto, ¿qué era lo que había estudiado, si propone por estudio lo que él se llevaba aprendido?

Fuera deste conocimiento, que es tan natural, ningún hombre hay en el mundo tan desamparado de
5 la razón que no sepa que ser ingrato es malo, es feo, es detestable; y ninguno hay tan agreste que ignore que el perder el respeto a los padres es la mayor de las ingratitudes, porque es no pagar los mayores beneficios. Si esto había de saber precisamente este
10 hombre, si no se hubiera dado a los estudios, ¿cómo dice que a los estudios lo debe? Si había estudiado, decía bobería; y si no había estudiado, decía mentira. Y es el mundo de tan mal entendimiento que, porque suena como discreción, o venera una igno-
15 rancia o hace estimación de un vicio.

Cuando la naturaleza ni el discurso no enseñaran el respeto que se debe a los padres, el amor a la honra, que está ardiendo en todos los corazones, lo persuadiera. El primer fundamento de la honra humana
20 es ser hijo de buenos padres; ¿cómo ha de hacer creer un hombre que su padre es bueno si, perdiéndole el respeto, le supone indigno de que otros se le tengan? Luego no merece aplausos de peregrina la acción que, cuando no se hubiera hecho por la dig-
25 nidad de padre o por la deuda de hijo, se había de hacer por la conservación de la honra.

Si se cavan las razones de que el hombre acompañó su paciencia, se hallará en ellas muy reconcentrada la malicia, porque se hallará acusación contra
30 su padre. Tanto valió decir que la riqueza que traía era saber sufrir de su padre el enojo como afirmar que su padre le había hecho una tan grande sinrazón que, con toda la enseñanza de la naturaleza, no se podía haber sufrido, si las letras no le hubieran ayu-

dado. Desacato fue venerar, disputando si había fuerzas en la razón natural para hacerlo; quien encarece lo que hace, queda en lo mismo que si no lo hiciera. El que a su padre le dijo que hacía mucho en sufrirle, hizo lo mismo que si no le hubiera sufrido.

Para que este hecho deste mozo tuviera requisitos de extraño era menester que, al hacer lo contrario, no fuese culpable. No era culpable volverse contra su padre enojado, cuando su vida corriera probable peligro, porque era defensa justa. No pudo haber este riesgo; luego el perder el respeto hubiera sido malo. La consecuencia es legítima. Con la misma seguridad que se le puede fiar sus ojos a un hombre, se le puede fiar sus hijos. Todos miran por sus hijos como por sus ojos. Alguna vez se da un golpe un hombre en sus ojos sin querer; alguna vez da un golpe a sus hijos sin reparar. En lo primero, erró la mano; en lo segundo, erró la ira. Nadie quiere maltratar lo que tanto ama. El que tiene los ojos malos, los cura con cosas que les duelan. El que tiene malo un hijo, ha menester enmendarle con remedios que le lastimen. Los hijos son los ojos de los padres; o riñéndolos o corrigiéndolos los quieren como a sus ojos.

Leamos ahora lo que hacen los ojos cuando los maltrata o los cura su dueño. Lo que hacen es encogerse y, si lo sienten mucho, lloran. Tan natural es el respeto de los hijos a los padres como el de los ojos a su dueño. Lo que deben hacer los hijos con el enojo de los padres es humillarse y encogerse y, si lo sienten mucho, pueden desahogarse con el llanto. El que cría enojo contra enojo tan venerable, se desnaturaliza de hijo. De todo esto se infiere que las palabras deste mozo no sólo no fueron dignas de admiración sino merecedoras de risa o de pena.

ERROR VII

Símile fue un varón consular que tuvo los mejores oficios de su patria. Gozó muchos años de las dignidades superiores en el gobierno. Cansóse y renunciólas. Re-
5 *tiróse. De allí a siete años, le dio la enfermedad de la muerte. Hizo testamento y mandó en él que pusiesen en su sepultura este epitafio: «Aquí yace Símile, que murió de sesenta años, y sólo vivió siete.» Quiso dar a entender que no vivió sino mientras no tuvo cargos.*
10 *Cuéntalo y apláudelo Dión Niceo.*

DISCURSO

Los buenos son buenos para las dignidades de la República y para los malos son buenas las dignidades. A la República sirven los buenos gobernadores y a

10 Sobre esta anécdota y el tema de *Otium*, puede consultarse mi estudio «*Otium* and the Epitaph of Sulpicius Similis», en *Romanische Forschungen*, LXXX (1968), 498-503, donde pongo de relieve las diferentes interpretaciones que dan de este episodio Zabaleta, José de la Torre y Frei Heitor Pinto. Sobre la obra de Dio véase Fergus Millar, *A Study of Cassius Dio* (Oxford, 1964), esp. págs. 70-71, que tratan de Símile. He aquí el texto que presenta los casos antitéticos de Símile y Turbone. Si bien éste no quería dejar lo scargos públicos mientras viviera, Símile «... contra sua voglia prese l'ufficio della Prefettura de'soldati della guardia dell'Impe-

los malos los sirve la República. De aquí se infiere que los oficios superiores en ella para los buenos y para los malos son buenos.

Si es bueno el que tiene oficio superior en la República, ¿qué cosa puede hacer mejor que su oficio? 5
El principio del vivir bien es hacer justicia. Muy bien vive el que tiene por oficio hacerla, el que siempre la está haciendo. La justicia es una virtud que conserva la comunidad de los hombres; ella les está guardando a todos la honra, la vida y la hacienda. 10
Muy bien parece entre los hombres aquel a quien los hombres deben la protección y la defensa de la hacienda, la vida y la honra. La justicia es una regla que pone bien al hombre con todas las cosas, que le coloca bien con todas ellas. Quien en nombre de la 15
justicia está poniendo a cada cosa en su lugar, muy dichoso, muy glorioso lugar tiene. La justicia es agradable a Dios y necesaria al hombre. El que administra justicia, ¿en qué lugar puede estar mejor que en el que a Dios agrada y al hombre aprovecha? Naturalmente, 20
el obrar bien deja en todos los pechos humanos gustosísimo deleite. La justicia está naturalmente en todos los corazones. ¿Cómo puede dejar de vivir con gusto el juez que está obrando bien y que está obrando conforme a la naturaleza? El buen ministro 25
pierde en servicio de la justicia los ojos, las manos

ratore, e poscia lo rinuntiò; & havendo finalmente appena hauuta la licentia, i sette anni di vita, che gli restarono andò a posarsi alla villa; & ordinò, che dopo la morte sua, si scrivessero sopra la sua sepultura queste parole. HIC IACET SIMILIS CVIVS AETAS MVLTORVM ANNORVM FVIT, IPSE SEPTEM DVM TAXAT ANNIS VIXIT.» Dione Cassio, *De'fatti de'Romani dalla guerra di Candia fino alla morte di Clavdio Imperatore,* tradotto di Greco in Latino per Guglielmo Xilandro d'Augusta e nuovamente nella nostra lingua ridotto per M. Francesco Baldelli (Vinegia, MDLXVIII), pág. 259. [En ediciones modernas forma parte del epítome del libro LXIX, 18-19.]

y los pies: los pies, porque no visita; las manos, porque no recibe; y los ojos, porque no ve si no es la razón. Grande ejercicio es el que casi le limpia de hombre, el que le deja casi todo alma, el que le deja casi todo cielo.

¿Dónde puede estar mejor un juez que en el lugar, que en el asiento de la virtud? El lugar de la virtud es el punto medio; allí fija y constante, sin inclinarse a ninguno de los dos extremos; igualmente se aparta de ambos, a ambos mira igualmente. El buen juez, entre las dos partes, tan distante está de la una como de la otra. Tanto hay desde su atención al acto como desde su atención al reo. Siendo esto así, ¿por qué el lugar de la virtud no ha de tener muy gustoso a un hombre? ¿Qué lugar puede tener más glorioso un ministro que aquel en que, aun cuando hace una cosa muy poca, encierra en ella virtud de mucha? Las mismas líneas tiene un globo pequeño que uno grande; igualmente parten desde el centro al extremo en el uno que en el otro. En una cosa, que parece nada, incluye mucho una buena sentencia. En un círculo muy corto abrevia y recoge toda la virtud de la justicia. Y, finalmente, es dicha grande estar en aquel puesto un hombre donde es grande fealdad cometer lo que castiga. Feliz aquél a quien la obligación de corregir al malo le pone en obligación de ser bueno, le hace que lo sea.

Si es malo el que tiene el oficio superior en la República, ¿dónde puede estar mejor para ser malo? Si es soberbio, ¿dónde hallará la adoración que allí tiene? Allí se verá tan eminente que, en el Tribunal, aun sentado, se hallará más alto que todos. Si es avariento, por ninguna parte pasa tan cerca el río de las riquezas como por la puerta de su casa. Por ella se entra el oro en olas, la plata en avenidas. Si es vengativo, ¿dónde puede estar mejor que donde es juez y parte, y donde la espada de la justicia puede hacer la injusticia que le satisface el enojo? ¿Si es amigo de mesa regalada, quién puede tener como él la mesa? Allí llevan todos el bocado precioso para inclinarle a sí, con un bocado. En las comidas les dan hechizos, sin hechizos. De suerte que para ser bueno y para ser malo un hombre, es puesto muy a propósito cualquiera dignidad en el gobierno.

La causa de dejar estos puestos los que los ocupan (como no sea para la vida espiritual y contemplativa) es descansar. Esto, en el bueno, viene a ser pasar de una virtud a un vicio y, en el malo, pasar de un vicio a otro, porque en ambos es pasar al vicio de la ociosidad. Aquí el malo se queda con los vicios que tenía y hace lugar a los que no tenía. Por lo que hallan fácilmente las flechas un blanco, es porque se está quedo. No hay vicio que yerre el tiro en el ocioso y es porque no se mueve. Al ocupado, si le hallan unos vicios, lo yerran otros. Al desocupado, todos le tiran y todos le aciertan. Ya aquí tenemos al malo peor. Veamos, ahora, cómo se hace el bueno malo.

Diráme el bueno que él buscará entendimientos lícitos contra el ocio. A esto le digo que también son ocio los entretenimientos. Ocupación que por divertimiento se elige, ocio se queda. Ocupación que se puede dejar en cansando, no es ocupación. El ejercicio que obliga es el que fatiga: en éste se trabaja, en los demás se vaga.

Yo quiero darle ahora a Símile que, en los siete años del descanso, manejase tan bien el ocio que no

---

12 Admite Zabaleta la misma excepción en los errores III y XXXV.

le permitiese vicio; siendo ocio, ¿cómo le pudo llamar vida? El ocio es sepultura de vivos. Muerto está el ocioso.

Uno de los mayores sabios del mundo (los doctos 5 saben de quien hablo) dice que el que no quiere trabajar no coma; y no lo dice por falta de caridad, sino porque tiene al ocioso por muerto y no hay otra cosa tan ociosa como dar de comer al que no vive. De manera que el epitafio que se hizo este hombre, 10 para estar acertado, había de decir: «Aquí yace Símile, que murió de sesenta años y vivió cincuenta y tres», descontando de la vida los siete del ocio. Para decir: «Aquí yace Símile, que murió de sesenta años, y sólo vivió siete», es llamar a la muerte vida y vida 15 a la muerte. Es trocar los nombres y es errar las cosas.

3 Las dos últimas frases se encuentran en forma idéntica en Séneca, *Epístolas*, LXXX, 3-4.

ERROR VIII

En tiempo de Dionisio Siracusano hubo una mujer llamada Erina, natural de una isla cuyo nombre es Telos. Ésta era muy inclinada a los estudios y muy entregada a la poesía. No hacía otra cosa más que versos. Escribió un poema y muchos epigramas. En esto gastó su vida. Celébrala Propercio y acuérdala Ravisio Textor. 5

Discurso

No sé qué me diga de la poesía. Llamarla locura parece engaño, porque no se puede obrar sin grande entendimiento. Llamarla cordura es error conocido, 10

---

7 «et su acum antiquae committit scripta Corinnae,/ Carminaque Erinnes non putat aequa suis». Propertius, *The Elegies* (Cambridge, 1952), II, elegía III, 21-22. Véase también *Elegías,* ed., trad. y notas de Antonio Tovar y María T. Belfiore Mártire (Barcelona, 1963: Colección Hispánica de autores griegos y latinos). La introducción de ésta trata de Propercio en España, esp. págs. XXXV-XXXVII.

8 «Erinna poẽtria Tela aut Telia (est ẽm Telos insula prope Guydon) floruit Dionis Syracusani tẽporib. Scripsit Dorica lingua elegãs poema, trecẽtis versibus absolutũ. Aliatque itẽ Epigrãmata. Ferunt eius carmina ad Homericã accessisse maiestatẽ. Mortua est annos 19. nata. De hac Propertius li. 2 Carmináque Erinnes nõ putat aequa fuis. Bab. Pius. Erinna credet Graecia docta fuã. Idẽ. Non melior coluisse Sacras Erinna

porque hace a los hombres inútiles y desatentos. Trabajar mucho en no hacer nada, es desatino patente. Este desatino hacen los poetas, ¿cómo tendré ánimo para llamarlos cuerdos? Que grandes versos no se pueden hacer sin entendimiento grande es verdad infalible, y tan infalible verdad que los malos no se pueden hacer sin tenerle bueno. La prueba es fácil. Oigan en prosa a los malos poetas y los oirán hablar con muy buena razón. Pues si para ser poeta sin nombre es menester entendimiento más que ordinario, ¿qué entendimiento será menester para ser buen poeta?

No fuera tan culpable la poesía si se hiciera como se lee. Léese por ociosidad y ella no se hace sin grande

---

forores. Fuit cõtẽporanea Sapphus. In eam elegans est apud Grecos distichon, cuis talis habentur sensus. Quanto Eriñna in Lyricis Sappho prestantior, tanto Sapph gloriam Erinna hexametris praecellit.» Ioannis Ravissii Textoris Nivernensis *Cornucopiae* (1532, s. l.). Sobre Ravisio Textor, puede verse Maurice Mignon, «Jean Tixier de Ravisy», capítulo cuatro de su *Etudes sur le théâtre français et italien de la renaissance* (París, 1925: Bibliothèque littéraire de la Renaissance, n. s. vol. X), 32-61. Ya que el texto de Ravisio Textor indica la fuente exacta en Propercio, a Zabaleta no le habría sido necesario acudir al texto de éste. Pero las discrepancias entre las versiones de Ravisio Textor y Zabaleta, especialmente el dejar Zabaleta de notar la muerte de Erina a una edad cuando aún no tendría responsabilidades maternales, sugieren que Zabaleta había leído la anécdota en otra parte. Me parece muy probable que la fuente era Rodiginio, ya mencionada en el error VI: «In Erinnam elegans est apud Graecos Epigrãma, Cuius hi duo sunt postremi versus.

ΣαπΦὼ δ' ἠρίννης ὅσσον μέλεσσιν ἀμείνων
ἠρίννα σαπΦοῦς τόσσον ἦν ἐξαμέτρους

Idest quanto Erinna in Lyricis Sappho praestantior Tanto Sapphus gloriam Erinna Hexametris praecellit. Utriusque Poetriae mentio item Propertio est elegiarum segundo. Et sua cum antiquae committit scripta Corinnae, Carminá q; Erinnes non putat aequa suis» (*Lectionum*, pág. 370).

1 Esta actitud contrasta con la participación de Zabaleta en varias academias poéticas de su tiempo. Véase Willard F. King, *Prosa novelística y academias literarias en el siglo XVII*, Madrid, 1963 (Anejo del Boletín de la Real Academia Española, 10).

ocupación. Quien no quiere hacer nada, lee un soneto; quien se determina a molerse, le hace. Entre cuantas obras hay del entendimiento, ninguna se apodera con tanta crueldad del hombre. Tanto es lo que se trabaja en esto que revienta de fatiga la humana capacidad y se sale de sí misma. En nada se echa tanto de ver que el escribir versos es locura como en esto, pues los hacen los hombres estando fuera de sí.

Que es mayor el trabajo de la poesía es tan indubitable que, si a alguno de los hombres doctos en teología o en la jurisprudencia, que hacen versos con mucha destreza y mucha gracia (que hay entre ellos muchos que los hacen), le dijesen a un mismo tiempo que respondiese por escrito a una duda gravísima de su facultad y que escribiese unas décimas a unas manos blancas, trabajaría mucho menos en responder a la duda, siendo obra loable, que en escribir las décimas, siendo obra vacía. Dichosos ellos, pues no hacen las décimas, sabiendo hacerlas, y desdichados de los versos, pues sabiendo ellos hacerlos, no los hacen.

No sé cómo no hay quien se avergüence de escribir versos, viendo que, si lo que dicen en ellos lo dijera hablando en prosa, le tuvieran todos por loco. La naturaleza siempre está opuesta a lo malo, nunca lo aplaude; si el antojo lo sigue, es sabiendo que yerra. La naturaleza está opuesta a la poesía. Vese claramente en que, para preguntar un hombre a un poeta si escribe algo, sin poder más consigo, se lo pregunta sonriéndose, como burlándose de lo que pregunta.

¡Oh, si yo fuera tan bien afortunado que, a la juventud de España, principalmente a la que está en las universidades, pudiera persuadir a que no se ocupase en ocio tan moledor y en tan desaprovechada fatiga! Que si yo fuera tan bien afortunado que se lo persuadiera de aquellos entendimientos que trabajan en hacer locuras, entregados del todo a lo útil 5 en que allí se trabaja, sacara España gloriosas conveniencias.

No hay, en fin, sustancia en la poesía; nada de cuanto dice importa nada. Como música deleita, como ignorancia ofende. Las cadencias hacen gusto, 10 las palabras hacen enfado. La necesidad de los números y de las consonancias obliga a introducir muchas voces o sobradas o forzadas o impropias. El oficio de la poesía es fingir lo que es o figurar lo que es, de tal manera que quede en otra especie. La 15 mentira, de mentira a fuera, es nada. Nada es la poesía en apartándola de los números. Algunas veces quiere ser algo y, entonces, es algo malo, es sátira o lisonja. La sátira es murmuración y toda murmuración es vileza. Son los poetas satíricos unos testigos 20 falsos que, donde no hay delito, lo ponen, y donde hay delito, ponen más delito. ¡Infame defecto! La lisonja es tan dañosa que hace de los entendidos

14 Véase Otis H. Green, «'Fingen los poetas' --- Notes on the Spanish Attitude toward Pagan Mythology», en *Estudios dedicados a Menéndez Pidal*, I (Madrid, 1950), 275-88. Al comentar Zabaleta en otra parte sobre la poesía: «Escrivir libros las más vezes no es más que sonido honroso, porque suel [*sic*] ser trasladar, que es trabajo que merece lo mismo que passar tierra de una parte a otra. Los que escriuen nouedades de sustancia son tan raros como las nouedades» (*D F M*, pág. 237). «Tiemblo con el horror quando considero que ay papeles en el mundo en quien se estampan estas poesías. Bien veo que se permiten por la conseruación de la elegancia de las lenguas; pero cierto que me espanta que porque enseñen a hablar bien, se les sufra que den ocasión para obrar mal.... Libros han de llamar estos papeles? Libro quiere dezir Maestro que enseña cosa buena; pero el que nada buena, ni importante enseña, porque se ha de llamar libro?» (*D F T*, pág. 57).

bobos y de los bobos locos. El entendido, a quien alaban de lo que no tiene, bien sabe él que no tiene aquella perfección de que le alaben, pero se emboba de suerte con la dulzura del sonido que se alegra de que le alaben, como si la tuviera. El bobo, a quien la lisonja ensalza, cree cuanto le dice la lisonja y vuélvese loco. De manera que la poesía, si no alaba o vitupera, no es nada, y si alaba o vitupera, es perniciosa.

Juntemos, pues, ahora las propiedades de la poesía con los defectos y propensiones de una mujer y veremos lo que resulta. Miedo me da pensarlo. En la poesía no hay sustancia, en el entendimiento de una mujer tampoco: muy buena junta harán entendimiento de mujer y poesía. La necesidad de las proporciones obliga a poner en la poesía muchas palabras o impropias o forzadas o sobradas. La mujer, por su naturaleza, no sabe poner nada en su lugar; mírense cuál estarán sus palabras en las dificultades de la poesía. El oficio de la poesía es fingir, el ansia de la mujer es maquinar; darle por obligación la inclinación es acabar de echarla a perder. Cuando la poesía es sátira, es murmuración, es chisme. La mujer naturalmente es chismosa; si la añaden la vena de poeta, no parará de hacer sátiras con que ande chismando al mundo las faltas ajenas. Cuando la poesía es lisonja, es estrago de los entendimientos. Lisonja en labios de mujer hace más daño que lisonja; porque de un hombre se puede presumir que inventa las perfecciones que pinta, pero de una mujer, como es menor su capacidad, se piensa que pinta las perfecciones que halla. De donde se colige que, si la lisonja ordinaria hace de los entendidos bobos, y de los bobos locos, ésta hace locos de entrambos, porque entrambos la creen muy aprisa. De suerte que la mujer que es poeta jamás hace nada, porque deja de hacer lo que tiene obligación, y lo que hace, que son versos, no es nada. Habla más de lo que había de hablar, y con más defectos y superfluidades. Añade otra locura a su locura. De día y de noche está maquinando disparates que, sobre los que ella había de maquinar, hacen desatinadísimo tropel de quimeras. Si alguien la ofende, no cesa de hacerle sátiras. Si ha menester a alguien, le enloquece o le emboba a lisonjas. Esto hace una mujer que hace versos: ¡buena debe de andar su casa! Mas, ¿cómo ha de andar casa donde, en lugar de agujas, hay plumas y en lugar de almohadillas, cartapacios? Yo apostaré que una mujer déstas, las sábanas que rompe de noche buscando, a vuelcos, los conceptos, no las remienda de día por escribir los conceptos que buscó entre las sábanas y leérselos a sus conocidos. También apostaré que, si estando escribiendo ve que se le cae un hijo en la lumbre, por no levantar la pluma del papel, le socorre tarde o no le socorre. ¡Fuego de Dios en ella!

La mujer poeta es el animal más imperfecto y más aborrecible de cuantos forman la naturaleza, porque no hay animal de tantas tachas que no sea bueno para algo, sola ella no es buena para cosa desta vida. Esto asentado, veamos ahora por qué alaban a Erina, Propercio y Rabisio. Claro está que porque hacía versos. Por lo que ellos la alaban, si me fuera lícito, la quemara yo viva. Al que celebra a una mujer por poeta, Dios se la dé por mujer, para que conozca lo que celebra.

ERROR IX

Amoleo, hombre de ánimo generoso y muy amante de los hombres de letras, le pidió a Plotino, filósofo excelente entre los discípulos de Platón, que se dejase retratar para que participasen de su presencia en la 5 *mejor forma que pudiesen los siglos venideros. Plotino, entonces, con semblante amigo y palabras como de reprehensión, le dijo: «¿No me basta la afrenta de traer a cuestas esta humanidad, sino que tú quieres informar de ella a las edades futuras?» Hace grande caso desto* 10 *Erasmo.*

Discurso

El hombre es un árbol celestial. Vese en que tiene las raíces hacia el cielo: los cabellos son las raíces. El cielo no tiene más que este árbol: por él se ha dig- 15 nado de parecer tierra, por él se parece la tierra al cielo. El hombre es sombra de Dios: muy buen re-

---

11 «Plotinus Philosophus Platonicus, Amelio Pictori roganti, ut corporis formam pateretur effingi, non passus est: *Quid*, inquit, *an non satis est nos hanc imaginem circumferre, nisi imaginis imaginem relinquamus posteris ostentandam?* Judicavit cum Pythagora, corpus esse thecam mentis, utcumque eam exprimentem. Minimum autem hominis videre eum, qui nihil aliud videt quam corpus.» Erasmo, *Opera Omnia* (Lugduni, 1703),

trato es de Dios la sombra, porque es retrato que se hace Dios a sí mismo. El hombre es superior a todas las criaturas corporales. Cuanto hay bueno en ellas, hay en él, y en él hay mucho más que en ellas. 5 Tan gran cosa es ser hombre que cabe en él el mundo; por eso le llaman mundo pequeño. Tan excelente cosa es ser hombre que el mundo se desvanece de que le llamen hombre grande. Muy parecidos son el uno al otro. El mundo tiene a Dios por alma: el 10 hombre tiene un alma que se parece a Dios. El mundo tiene cuatro elementos, de cuatro elementos se compone el hombre. El mundo tiene forma esférica; desde el vientre de su madre la tiene el hombre. Allí está en forma de globo. Cuando sale dél, si ex- 15 tiende los brazos, también la tiene. Si estando en la Cruz le quisiesen rodear desde cualquiera de sus extremos con una línea, haría la línea un círculo ajustado. El mundo consta de cielo y tierra; el hombre tiene parte en sí que se parece al cielo la cabeza; en 20 ella están los ojos en lugar de luceros. Mucho contiene el mundo; de todo ello ama la ciencia el hombre; todo lo puede saber si quiere saberlo; capacidad hay en su entendimiento para todo; con él penetra al cielo, con él escudriña la tierra. Por todas estas prerro- 25 gativas se atrevió un antiguo a llamarle dios mortal. No dijo bien, pero se engañó con muy buena disculpa.

De todas estas perfecciones y otras muchas está dotado el hombre: ¿por qué desdeñaría Plotino que le viese la posteridad en esta forma? Si lo hizo por 30 el parecer de nuestra estructura, ninguna cosa cor-

IV, 367. Este relato se encuentra en *Apophthegmata*, VIII, 35. Sobre este escritor hay que citar el estudio fundamental de Marcel Bataillon, *Erasmo y España. Estudios sobre la historia espiritual del siglo XVI*, trad. A. Alatorre, 2.ª ed. corregida y aumentada (México, 1966).

poral hay tan hermosa, ninguna tan bien fabricada, ninguna con tanto concierto, ninguna con tanta armonía, de ninguna se hace tan agradable objeto. Si lo hizo por los defectos interiores de nuestra humanidad, éstos no se retratan, y si estaba tan mal con 5 ellos, por verse sin ellos, había de apetecer el andar retratado. Si lo que le avergonzaba era la materia de que era hecho, de aquella misma materia eran y habían sido todos los príncipes del mundo, todos los varones insignes cuantos ganaron triunfos, cuan- 10 tos merecieron aplausos. Bien se podía gloriar de ser de la especie de aquéllos.

Yo me holgara preguntar a este hombre de qué materia se holgara de ser, si le pesaba de ser de tierra. Porque si se holgara de ser de alguno de los otros tres 15 elementos, todos ellos están en esa tierra embebidos y mezclados. Si quisiera ser de plata, oro, diamantes o carbunclos: los carbunclos, diamantes, el oro y la plata son tierra y tierra tan infeliz que es de mejor calidad una hormiga que todos ellos. Si le pesaba de no 20 ser flor, parte de la tierra son las flores, della salen y a ella vuelven. Si apetecía ser hecho de un pedazo de cielo, el cielo no es tan perfecta criatura como el hombre. Si quería ser sólo alma era pretender novedades en las obras de Dios, era como querer enmen- 25 darlas. El fin para que se hace el alma es para vivificar el cuerpo, para regirle y para hacerle eterno. Querer alma sin cuerpo era querer alma sin oficio, y sin qué ni para qué no hace Dios nada. Fuera de que querer sin la carga del cuerpo la sustancia del 30 alma, era quererla sin merecimientos, porque no teniendo con quien pelear, no tendría a quien vencer. Si quería ser dios, era muy declarada locura. Si se holgara de no ser, era desesperación muy despechada.

A todas luces es error la respuesta deste hombre y error con malignidad de vicio. Porque si era verdad que se afrentaba de ser humano, no habiendo más que ser debajo de la luna, era soberbia. Y si fue su
5 intención no más que admirar con la respuesta al que le pedía licencia para retratarle, dándole a entender que le ponían en confusión los defectos de su naturaleza, fue vanagloria. Para mí tengo que fue lo segundo, porque no podía ignorar Plotino que
10 gozaba entre todas las criaturas corporales la suma dignidad, siendo hombre.

Los más de aquellos filósofos flaquearon por la vanidad. Con la embriaguez de este vicio hacían mil disparates, de donde a ellos les parecía que les había
15 de resultar alabanza. ¡Oh, gente loca! Los muchachos, cuando juegan, suelen hacer coronas de papel y se las ponen. Los vanos, de unas cosas que no valen nada, quieren hacer su gloria. Este filósofo quiso hacer su estimación de un desatino. El verdadero
20 filosofar era huir deste defecto y conocer que esta gloria no es duradera. En una arca sin llave no está seguro un tesoro; en las bocas de los otros no están seguras estas locuras. De la arca abierta saca el que quiere lo que hay para hacer dello lo que quiere; de
25 las bocas ajenas se toman los hechos o los dichos de los otros para aplaudirlos o vituperarlos. Los buenos suelen correr peligro, ¿qué harán los que no tienen más que la apariencia de buenos? Si este hombre supiera lo que él pensaba que sabía, echara de ver
30 que los aplausos los alcanza mejor el que huye dellos que el que va tras de ellos. La estimación humana se enamora de los desdenes; del que no hace caso della es de quien ella hace caso. Plotino deseó el aplauso y halló la censura.

ERROR X

En Cartago hubo un hombre cuyo nombre era Hano y cuyo valor e industria fueron tan grandes que fue el primero que cautivó leones y el primero que les domó la fiereza, pues los hizo servir con mansedumbre y rendimiento en los ministerios a que los aplicaba. Admiróse el pueblo cartaginés y, como que hacían una cosa muy conveniente, desterraron de sus límites a Hano, dando a entender que no era seguro en la República hombre de tanta osadía y tanta maña. Cuéntalo Plinio y celébranlo muchos.

Discurso

Los hombres o han de saber con su ingenio o con el ajeno. Quien no alcanza a penetrar lo dificultoso y desestima al que lo alcanza, parece que tiene por

10 «Primus autem hominum leonem manu tractare ausus et ostendere mansuefactum Hanno e clarissimis Poenorum traditur damnatusque illo argumento, quoniam nihil non persuasurus vir tam artificis ingenii videbatur, et male credi libertas ei cui in tantum cessisset etiam feritas.» Pliny, *Natural History* (Cambridge, 1956), III, 43. Zabaleta podía disponer de la *Historia natural* en varias ediciones: Madrid, 1599, 1602; Alcalá, 1602; Madrid, 1624-29; y una sin lugar de publicación, 1569.

11 Pedro Mexía cuenta la misma anécdota en su *Silva de varia lección*, libro II, cap. III (ed. de la Sociedad de bibliófilos españoles, vol. 10: Barcelona, 1933).

gala el ignorar y por superfluidad el entender. Hano cartaginés fue el primero que halló modo de hacer a los leones prisioneros y arte para domarlos. Esto no se hace sin entendimiento y el entendimiento merece grande veneración. Los sabios antiguos, después de haberse fatigado mucho en ponerle nombre a Dios que, a su parecer, le definiese, le llamaron entendi miento, que lo sabía hacer todo y que lo hacía todo. A Dios tuvieron por entendimiento, ¿luego al entendimiento tuvieron por Dios? Presto estará verificada esta consecuencia. Mucha semejanza tiene de Dios quien tiene mucho entendimiento; no hicieron mucho en engañarse. El inventar cosas que son de alguna utilidad para la vida humana supone entendimiento muy vivo. Los mismos antiguos que llamaron a Dios entendimiento y que miraron al entendimiento como a Dios, adoraron por dioses a los que inventaban, como era señal grande de grande entendimiento. Mucho después que hubo trigo, no había hoces. Carestía era del pan la dificultad de cortar la caña, no bastaba la abundancia a hacer fértil al año. Nació Saturno y inventó la hoz. Conoció el mundo el beneficio y tuvo al inventor por deidad. No fue sólo este inventor el adorado. Un pastor, cuyo nombre era Pan, hizo la primera flauta; por esto pensaron que era Dios y le hicieron altares. Poca falta hacían las flautas en el mundo, pero fue novedad. Conocieron en el que la halló entendimiento y veneráronle por su entendimiento como a Dios. Ya la consecuencia, que parecía bastarda, es legítima.

---

15. Sobre el tema de la invención, véase Maravall, *Antiguos y modernos*, *op. cit.*, págs. 59-72.

Bien mereció Hano que le veneraran por inventor los cartagineses, pero ellos le desterraron. La razón que para esto dieron fue que hombre de tanta osadía y tanta industria no era seguro en la República, porque no había con él superior seguro. Lo primero es 5 vulgaridad muy torpe creer estos hombres que el león es rey de los brutos, porque los brutos no tienen rey. Ser muy valiente no es ser más noble. Ser más temido no es estar más bien colocado. El animal más digno de ser perseguido entre cuantos pisan el suelo 10 es el león porque no es bueno para nada y es malo para muchas cosas. Él no vive como el toro, que también es animal iracundo y feroz, con la yerba que el campo produce y que a nadie hace falta. Su hambre y su rabia no comen sino carnes y vidas. 15 Ya que no comen sino vidas y carnes son de áspides o víboras. De lo que es más amigo (horror da el pronunciarlo) es de sangre humana o de aquellos animales que son a la humanidad de servicio y provecho. Es el enemigo de todos, principalmente de los 20 hombres y de los mejores brutos. Y quieren los cartagineses que, porque le temen los brutos, le veneren los hombres. Si tanto le reverenciaban, que eran enemigos de sus enemigos, ¿cómo sufrían perros en la República, siendo verdad conocida que los valientes 25 le embisten y los cobardes le ladran? Mucho más puesto en razón era premiar y estimar a Hano, porque había cobrádole al hombre aquella parte de superioridad natural que tiene sobre los brutos hasta entonces perdida y olvidada, que desterrarle porque 30 la había cobrado. Y si fue artificio para dar a entender que habían de estar en la República los que saben avasallar superiores, castigando a los que saben sujetar los animales, que los significan, fue prevención inútil, que una cosa tan grande como una traición no se ataja con una puerilidad. Hacerse un príncipe ridículo no es senda para hacerse temido. Ningún riesgo el que es cabeza de una República ha de temer tanto en los principios, por leves que sean, como una traición; ningún miedo ha de estar tan disimulado. El miedo es prudencia las más veces y siempre parece flaqueza. Mostrar flaqueza un superior es darle prisa a un atrevimiento. Nadie teme al que le teme. Todos andan con mucha atención con el que parece que no teme a nadie. La traición se ha de castigar como delito, no se ha de remediar como peligro, que confesar temor es desarmar la autoridad. Al que tienen por cobarde se atreven muchos y de muchos atrevidos es fácil hacer un dichoso. Si quien gobernaba a Cartago quiso, desterrando a Hano, asegurar de tiranía su dominio, poniendo terror con el ejemplo, con el ejemplo se hizo el peligro. Confesó que temía una traición y avisó que podía intentarse. A Hano hicieron una sinrazón por una razón de estado, y no se conserva bien un estado haciendo sinrazones.

ERROR XI

Florecieron, en tiempo de Alejandro de Macedonia, Apeles y Lisipo, uno pintor famoso y otro estatuario insigne. Era Alejandro tan amante de su estimación que mandó que, si no fuesen estos dos artífices, ninguno 5
le retratase ni fingiese. Celébranlo innumerables autores.

Discurso

Las estatuas y los retratos son una historia breve que comprehende y recopila lo mejor de un sujeto. Las facciones y los miembros representan el rostro y 10
la persona. Las posturas, los trajes y los afectos significan el garbo, la dignidad y las costumbres. La pintura y la escultura o no mienten o mienten hacia lo mejor, principalmente cuando retratan. ¿Qué harán cuando retratan reyes? La explicación de los de- 15
fectos es murmuración, y la pintura y la escultura

---

6 «Quantum porro dignitatis a rege Alexandro tributum arti existimamus, qui se et pingi ab uno Apelle et fingi a Lysippo tantum modo uoluit?» Valerii Maximi, *Factorvn et dictorvm memorabilivm libri novem*, edición Carolvs Kempf (Stuttgart, 1966: Tevbner), lib. VIII, cap. X, ext. 2. Valerio Máximo, a su vez, menciona a Plutarco, Plinio y Cicerón como fuentes de esta anécdota.

no murmuran de los vivos. ¿Qué harán de los príncipes? Siempre nos los proponen de manera que nos mueven o nos arrebatan los corazones. Cuando el rey está retratado o esculpido con el bastón en la mano, ¿qué vasallo hay que no le mire como a su amparo y defensa? ¿Y quién hay que no ame al que mira como a su defensa y amparo? Cuando le vemos retratado en audiencia pública, con los memoriales sobre un bufete a su mano derecha, dando a entender que da en su casa mejor lugar que a su persona a las necesidades ajenas, le atendemos como a tesorero general de Dios, que reparte sus bienes por su mano. ¿Quién, pues, dejará de querer bien a aquel de quien espera bienes?

Cuanto se encuentra en las reales efigies, está dando luz de aquella luz casi divina que recibe de sus originales. Nada en estas imágenes se ofrece humilde, nada vulgar; todo es excelso, todo es amable. Las insignias obligan a reverencia, el semblante a cariño. Mucho les deben, vivos, a sus estatuas y retratos, los reyes; pero mucho más es lo que les deben después de muertos; la estatua y el retrato del rey vivo causa amor y respeto, la del rey muerto, respeto y amor, y luego hace tierna soledad. Por piedad de la naturaleza se nos olvidan los defectos de los que han fallecido y sólo se nos acuerdan las perfecciones. En su estatua o su retrato miramos al rey difunto, y de la contemplación de sus buenas partes hacemos una medida con que tantear a los reyes que se siguen. Del rey vivo siempre se sabe algún defecto; ya no se puede ajustar con aquella medida. Desto resulta veneración grande al muerto, tan grande que empezó en ella el engaño de la idolatría. El primer rey que hubo en el mundo fue Saturno, y luego fue el primer dios. Midieron con su memoria al que entró a reinar después dél; parecióles que sus costumbres no se medían con aquellas virtudes; con esto trataron al muerto como a dios y miraron al vivo como a hombre. De suerte que los reyes, en sus simulacros, mientras viven son venerados y queridos; después de muertos, son tenidos por celestiales.

Éstos son los frutos que les producen a los monarcas sus estatuas y sus retratos. Ahora resta saber si los producen solamente los retratos y las estatuas que son de pincel y buril elegante. No se puede negar que los artífices muy primorosos en la pintura y la escultura explican mejor sus intenciones, definen con más puntualidad los miembros, hacen sus significaciones más claras y menos dificultosos los sentidos. Pero tampoco se puede negar que tienen casi un mismo número las buenas pinturas y los que las entienden. Tan pocos hay que las sepan hacer como que las sepan averiguar. La misma fortuna corre la escultura, y estoy por decir que son menos los que con vivacidad la penetran que los que con superioridad la ejecutan. De aquí se infiere que obran casi lo mismo las imágenes imperfectas, en los que no entienden los primores del arte, que las perfectas en aquellos que los entienden. Con que prohibir los reyes la imitación de sus personas a manos menos enseñadas sería privarse del reverente cariño de los muchos, porque son pocos los retratos y estatuas que pueden hacer los buenos artífices y pocos los que pueden conseguirlos.

Quien no pretende ser amado no merece serlo. El que lo pretende y rehúsa los medios, no llegará al fin. La presencia del rey es una música intelectual y suavísima para los ojos de los vasallos. Los retratos y las estatuas son sustitutos de la presencia. Crueldad sería negar este agasajo al súbdito leal que no entra en la corte; barbaridad sería negarse a sí mismo las conveniencias de amado y el gusto de dar gusto.

5 ¿Con qué pagaría un rey un hechizo con el cual, sin caer en culpa, se pudiera hacer a un mismo tiempo presente en todos sus estados donde, causando alegría, se granjeara amor y respeto? No era caro en la mitad de su corona. Este hechizo son los retratos 10 y las estatuas, malos o buenos, y no tienen costa. Luego sería locura desdeñarse de los malos, teniendo las obras tan buenas. Este desdén ninguno le pudiera hacer como Dios, y Dios no le hace, siendo el mayor rey. Tantos retratos hay suyos como hombres, y son 15 innumerables los hombres imperfectos. No hay cosa más fea que un pobre y es reverenciado y socorrido por imagen de Dios. No hay traslado tan rudo que no explique mucho de su original. De grande importancia es para los reyes que los estén acordando sus 20 simulacros, porque no se olvide su amor y su reverencia. El sol es comparación de los reyes y llena de estrellas aquella mitad del cielo en que no asiste. Sabe que importan para la memoria los retratos y puebla su ausencia de retratos para su memoria. De 25 sus retratos la puebla en sus luceros; pero no todos los luceros son sus perfectos retratos. Algunas estrellas hay tan menudas y tan amontonadas que más parecen nubes que estrellas. En la Vía Láctea se ve esta verdad cada noche. Muy torpe retrato es, de 30 una cosa tan luciente como el sol, una cosa casi nube, pero por torpe que es, le significa luciente. No hay retrato tan malo que no diga algo bueno. Luego, erró Alejandro en no dejarse retratar si no de Apeles y Lisipo. Pero, ¿qué acertará la soberbia?

ERROR XII

Había un día concurrido mucha gente en el teatro de la ciudad de Atenas a ver una fiesta que se hacía de admiración y entretenimiento. Acabóse el espectáculo y empezó a salir la gente con la angustia ordinaria que 5
se causan unos a otros. Entonces Diógenes Cínico, oponiéndose al insuperable torrente del pueblo que salía, forcejaba por entrar dentro, diciendo a grandes voces: «Yo hago siempre lo que no hacen los otros.» Quería dar a entender que el hombre cuerdo había de andar 10
al revés de todos. Refiérelo Diógenes Laercio y son los que lo celebran otros innumerables.

Discurso

Las más veces la singularidad en las acciones es 15
soberbia y la soberbia siempre es locura. Tenía Diógenes muy buen conocimiento de la verdad; quería dar a entender que él sólo la sabía y oponíase a todos. Dio en singular y cayó en soberbio. Linda

---

11 «Theatrum ingrediebatur ex adverso exeuntium: rogatus cur ita faceret, Hoc, ait, in omni vita facere studeo.» Diogenis Laertii, *Vitae philosophorum*, ed. Gabriel Cobet (París, 1850), VI, 2, 64. De este libro no había edición española hasta el siglo XVIII cuando lo tradujo José Ortiz y Sanz. Dicha traducción fue reproducida en: Colección de clásicos inolvidables (Buenos Aires, 1947). A Diógenes Laercio adscribe Zabaleta tam-

locura es querer hacer creer al mundo que él solo no yerra, cuando el instrumento con que se lo quiere hacer creer es un vicio.

En los hombres sabios la soberbia es un monstruo, 5 porque es hija de una cosa de otra especie, hija de su ciencia, y es grande monstruosidad nacer de una cosa tan divina, como el saber, una cosa tan infernal, como el presumir. Menos extrañeza tiene nacer de una mujer muy hermosa una serpiente muy fea. Esta 10 monstruosidad padecía Diógenes. Si este hombre quiso decir, entrando en el teatro cuando los otros salían, que todos los que habían asistido a aquella representación o espectáculo habían errado, dijo mal, porque muchos van a los entretenimientos públicos inculpa- 15 blemente. Pero doy que el entretenimiento fuese de tal calidad que dijese bien: hizo mal, porque, aunque la opinión fuese de varón cuerdo, la acción fue de loco. Quien no sabe saber, no sabe. Mucho le falta que entender a quien no manda bien lo que entiende. 20 La prudencia es la gobernadora de las acciones. Sin discreción no hay acción acertada. Sin prudencia, las virtudes se vuelven vicios.

Si quiso Diógenes persuadir al pueblo su opinión, ¿cómo se persuadió él a creer que habían de pensar 25 los otros que tenía juicio para opinar quien no le tenía para proponer? La verdad en la boca del loco pierde la autoridad de sentencia. La sentencia dicha sin autoridad suena como locura.

---

bién los errores XVII y XXVIII. Gracián trata el mismo episodio en su *Arte y agudeza de ingenio*, discurso XLI, «De las sentencias prontas ingeniosas»: «Iba Diógenes por una calle caminando contra la numerosa corriente del pueblo: preguntóle uno por qué caminaba de aquel modo, y respondió: 'Yo siempre voy al contrario del vulgo'.» *Obras completas*, ed. E. Correa Calderón (Madrid, 1944), pág. 217.

La intención de este hombre, según la acción, no fue enseñar al pueblo sino enseñarse raro. Faltóle la piedad y sobróle la soberbia, ¿qué mucho es que pareciese loco? ¡Qué de ramos tiene este error! Aún le queda mucho que trabajar a mi censura. Dijo, rompiendo por la gente, que él nunca hacía lo que hacían los otros. Esto fue dar por descaminadas todas las acciones de los hombres. Yo confieso que es infinito el número de los que yerran, pero también conozco que hacen número los que aciertan. Muchos son los que viven a la obediencia del antojo. Algunos hay que viven al cariño de la razón. Si fue razón capitular a los unos, maltratar a los otros fue sinrazón.

Fuera de la injusticia hubo en aquellas palabras alabanza propia, y nadie se alaba a sí mismo sin culpa. El ansia deste corazón fue ostentarse singular y, aunque lo pudiera conseguir, fue pretensión necia. La singularidad, entre otros defectos, suele ser ridícula y odiosa, y en cualquier destas dos cosas hay menos de gloria que desdicha. La verdadera singularidad nadie la ha conseguido. Entre los animales hay una especie que dicen que consta de uno. Éste es el Fénix y éste es fábula. Nadie hay tan raro que sea solo. No tiene muy mala suerte el que cabe entre los menos. El varón cuerdo ni ha de hacer lo que los más, ni lo que ninguno; con esto no entrará en la turba de los ignorantes ni se saldrá del número de los prudentes. El hombre es animal que ama en todo la compañía. El que quiere ser solo, parece que quisiera no ser hombre.

De todo esto sale, a mi ver, por legítima consecuencia, que erró Diógenes en la acción referida. Pero nadie se espante; era hombre de buenas costumbres y es muy difícil no caer en el vicio que resulta de la victoria de los otros vicios: en la vanidad.

ERROR XIII

Porcia, mujer de Marco Bruto, la noche antes del día en que su esposo tenía determinado matar en el Senado a Julio César, entró a la hora ordinaria a recogerse en su
5 *aposento y, antes de acabarse de desnudar, pidió a una criada unas tijeras, diciendo que eran para cortarse las uñas de los pies. La criada las sacó de un estuche y se las puso en las manos. Ella las tomó y las dejó en la almohada en que estaba sentada con tal arte que,*
10 *moviéndose un poco, como que se había descuidado con ellas, se dio con ellas cuidadosamente una herida en un muslo que vertía un arroyo de sangre. Quejóse Porcia, dieron voces las criadas, entró su marido, dijéronle lo que ellas creían que era y él, mientras se disponía el*
15 *curarla, la reñía el descuido. La mujer le llamó, como que le quería hablar en secreto; él se llegó y ella le dijo al oído: «Esta herida no me la hizo mi descuido sino mi amor; yo misma, sabiendo que me la daba, me la he dado, porque en el estado presente tengas una mues-*
20 *tra del valor con que me sabré matar si no te sale bien lo que tienes determinado hacer mañana.» Cuéntalo Plutarco y admíralo Valerio Máximo.*

---

22 Zabaleta le atribuye a Plutarco los errores XXX y XXXII también. Para las numerosísimas ediciones de Plutarco, véase Palau y Dolcet, *Manual del librero*, 2.ª ed. (Barcelona, 1956). Las discrepancias entre

Discurso

El nombre de la mujer propia, cuando es muy buena y muy honrada, no es más del título de la sepultura del marido. Ella es la sepultura. El título le honra y la sepultura le pudre. Tanto valía oír 5 decir «Porcia» como leer: «Aquí yace Bruto Felicísimo, esposo de una mujer honesta.» Gloriosa alabanza, pero de cuerpo muerto. Amaba Porcia a su marido tiernísimamente y, a puro amarle, le pudría. La mujer nada hace con moderación, hasta con lo bueno con- 10 sume. La naturaleza no supo cómo hacérsela sufrir mucho tiempo al hombre si no fue atándosela a la garganta con el matrimonio. Compañía que es menester atarla, no debe de ser buena; y compañía que no es buena, es compañía de sepultura, que oprime 15 y corrompe.

Revelóle Bruto a su mujer el designio de la muerte de César. (Al sepulcro no se le puede esconder lo que hace el cadáver.) Antojósele a ella hacer una

---

la versión de Plutarco (*Brutus*, XIII, 2-6) y la de Zabaleta indican que nuestro autor no había acudido a la fuente griega. El texto de Valerio Máximo, que cita el *locus* en Plutarco, es casi idéntico al de Zabaleta: [Hablando de Cato] «... Cuius filia minime muliebris animi. quae, cum Bruti uiri consilium, quod de interficiendo ceperat Caesare, ea nocte, quam dies taeterrimi facti secutus est, cognosset, egresso cubiculum Bruto cultellum tonsorium quasi unguium resecandorum causa poposocit eoque uelut forte elapso se uulnerauit. clamore deinde ancillarum in cubiculum reuocatus Brutus obiugare eam coepit, quod tonsoris praeripuisset officium. cui secreto Porcia 'non est hoc' inquit 'temerarium factum meum, sed in tali statu nostro amoris mei erga te certissimum indicium: experiri enim uolui, si tibi propositum parum ex sententia cessisset, quam aequo animo me ferro essem interemptura'» (III, 2, 15).

6 Sobre la figura de Porcia véase mi artículo «Porcia in Golden Age Literature: Echoes of a Classical Theme», en *Neophilologus*, LIV (1970), 22-30.

fineza y hizo una necedad. Diose una puñalada. Lo primero que le resultó de esta hazaña al marido fue susto. Oyó decir a las criadas con voces como de desdicha: «¡Mi señora, mi señora!»; creyó que era muerta. Nunca el estruendo de una desgracia la publica del tamaño que es, siempre la encarece. Quedó, con el alboroto, fuera de sí el hombre. Quiso correr al remedio, y hizo harto con la turbación en ir al remedio tropezando. Entró y vióla. Segundo tormento. La lástima repentina es afecto muy vehemente, muy sin piedad aflige. Vio a su mujer perdido el color, manchado de sangre el suelo. Juzgó que se moría y parecióle más hermosa. Mucho le crece la estimación a lo que se pierde. Juzgó que se moría, y con desdicha grande, y tomóse todo el dolor de una gran desdicha. Olvidáronsele las molestias del matrimonio y acordáronsele las comodidades; creyó que se le acababan y sintiólas como perdidas. Persuadióse a que la suerte le quitaba a su esposa y entristecióse con su suerte. Vio que padecía una mujer de ilustrísima sangre, y la nobleza representó la infelicidad más espantosa. Vio en peligro de muerte a quien le amaba: ¿cómo pudo dejar de probar los dolores de la muerte? Dijéronle que impensadamente se había clavado unas tijeras por un muslo, y el carecer de culpa hizo la desgracia más insufrible. Vio que lloraban los que la asistían; muy duro ha de ser el que no hiciere compañía a los que lloran. Todas estas agonías se juntaron en aquel corazón en un instante. Desatinada fineza la que en un corazón amontonó, en un instante, tantas agonías.

Para aderezar lo hecho, llamó Porcia con voz desanimada y amorosa a su marido y díjole a la oreja que aquella herida no había sido casual sino que ella misma se la había dado para que él viese el valor con que sabría darse la muerte, si no le salía bien la conjuración del siguiente día.

Si esta mujer se hubiera puesto a pensar cómo echar a perder a su marido, no pudiera haber hallado 5 mejor medio. Porque si no convenía ejecutar la imaginada muerte de César, embarazándole el poco tiempo que restaba, desde las diez de la noche hasta la mañana siguiente, con el susto, con la pena, con la admiración, con los remedios para pensar los incon- 10 venientes grandes que se seguían de aquella atrocidad, hizo precisa su ejecución, como estaba delineada hasta el punto en que ella se dio la herida. Muy posible fuera que si Bruto hubiera tenido aquella media noche desocupada para meditar la ingratitud, 15 la maldad que aquella acción comprehendía, hubiera hecho con sus parciales que se dilatase; y la dilación la hubiera hecho o más dificultosa o imposible. De suerte que si matar Bruto a César fue malo, la fineza desatinada pudo tener la culpa de que lo hiciese. 20

Si convenía quitar aquel generoso tirano del dominio de la República, ¿qué camino pudo encontrar Porcia para que su esposo no le diese de puñaladas, como darse una herida y decir que era demostración de dónde pudiese inferir el valor con que se sabría 25 matar si él no viviese? Porque si Bruto la amaba, con representarle la muerte en el mal suceso, huiría del riesgo del suceso malo por no aventurar tan estimada vida. Y si no le amaba, era fuerza que con la fineza presente la quisiese aquel tiempo breve que 30 durase el repentino calor del agradecimiento, que por breve que fuese, había de tener más término que el de un día y, pasando de aquel día, la ejecución pudiera ser que no llegase, porque las cosas que pierden el punto las más veces pierden el ser. De todo se colige que conviniendo y no conviniendo lo que Bruto tenía determinado, pudo la indiscreta fineza desta mujer hacer que se errase. La causa porque esta acción es celebrada de tantos es porque pareció muestra de amor grande. El amor lascivo, el delincuente, es el que hace las locuras, los desaciertos. Ése no tiene ojos y yerra, como ciego. El amor conyugal, el justo, se apasiona, pero no delira. Llega a la línea del círculo de la razón, pero no la pasa. Es virtud y la virtud no yerra. Si Porcia amaba a Bruto como a hombre y no como a esposo, no era amor digno de vituperio, pero tampoco de alabanza. Y si le amaba como marido, que es amor con ojos, ¿cómo hizo tan pernicioso disparate? El amor perfecto es entendimiento segundo. Quien ama como debe amar piensa en la parte de su cariño cosas tan superiores a su capacidad, halla primores tan no esperados, que parece que obra con dos entendimientos. Con un entendimiento, y fue un disparate lo que hizo Porcia, ¿cómo pudo ser amor un disparate? Esta acción más parece hija de una flaca naturaleza que de un ordenado cariño. Ella, en fin, hizo cuanto pudo, sin saber lo que se hacía, por atormentar, por echar a perder a su esposo. ¡Oh mujeres!

ERROR XIV

El emperador Adriano, que era muy preciado de hacer razón y guardar justicia, vio desde una vidriera de su cuarto que un criado suyo se andaba paseando con dos senadores. En el mismo punto mandó a otro criado que bajase y le diese una bofetada y le dijese en su nombre que dejase de hacerse igual con los hombres a quien podía servir. Cuéntalo Elio Estarciano y tiénenlo todos en grande estimación, porque parece que fue poner en su lugar a cada uno.

Discurso

Con todos los corazones humanos nace el deseo de la estimación y de la honra. En quien no se ve este deseo, no se hallará señal de acción lustrosa. Los soldados dan la vida por la honra. Si no desearan

---

8 Aelius Spartianus es uno de los seis escritores cuyas biografías de emperadores romanos forman la colección llamada *Historia Augusta*. Esta obra circuló en mss. en los siglos XIV y XV, y se difundió más al publicar un texto Erasmo en 1516. Además de ésta, había cuatro ediciones en el siglo XVII: Paris, 1603; Hanover, 1611; Paris, 1620 y Londres, 1652. El error de ortografía —Es*t*arciano por Es*p*arciano— se encuentra en todas las ediciones de los *Errores celebrados* menos la de Lisboa, 1665. «Nam cum quodam tempore servum suum inter duos senatores e cons-

la honra, no dieran la vida. El primer fin de los que estudian mucho es adquirir mucho nombre. Los mismos que huyen de la alabanza y del aplauso, lo hacen porque creen que de allí se les ha de seguir
5 mayor aplauso y mayor alabanza. Pero, ¿qué mucho que los hombres de valor y de entendimiento soliciten la fama si no hay hombre tan abatido que no la solicite? El labrador, el oficial trabaja y revienta por ser el primero de los de su orden. La sed de la
10 primera fama le hace que trabaje y reviente. Todos tienen a la estimación humana por la mayor dádiva de la fortuna. Todos hacen diligencia por merecérsela. Uno de los caminos que hay de hacerse estimar es acompañarse con los que son estimados. El que anda
15 con los buenos, parece uno dellos. Mucho tiempo después de apartado, conserva la semejanza.

Paseábase el criado del emperador Adriano con los senadores por parecer digno de su compañía. Era amigo de honra y llegábase al sitio en que la hallaba.
20 Por esto le mandó castigar su dueño; injusto fue el castigo. La justicia es una virtud que pone a cada uno en su lugar, que según su dignidad le coloca. Era muy preciado desta virtud Adriano y parecióle que no era el lugar de su criado el lado de los senadores.
25 Allí sí era, porque no estaban los senadores en su lugar. El lugar de los senadores, como senadores, es el Senado. En el patio de palacio no estaban sino como hombres ilustres.

No está violento el hombre honrado particular con
30 los hombres de mucho punto. No parece mal aquella

---

pectu ambulare vidisset, misit, qui ei collafum daret diceretque: 'noli inter eos ambulare, quorum esse adhuc potes servus'». *Scriptores historiae avgvstae*, ed. E. Hohl (Leipzig, 1965: Biblioteca Teubneriana), *Hadrian*, XXI, 3-4.

medianía junto a aquella superioridad. A la luz de mediodía son las sombras mucho menores que los cuerpos y no hay cuerpo que desestime la compañía de su sombra. Los hombres que están a la luz grande de las dignidades bien pueden tener junto a sí hombres de menor estatura en la suerte, como condolidos de que la luz, que está sobre sus cabezas, los haga menores.

Si la honra fuera como el dinero, que quien le da se queda sin lo que da, hacía muy bien Adriano en mirar no se quedasen sus senadores sin la honra que daban; pero si la honra que se da se queda, y queda mejorada la honra del que la da, era reparar en que se paseasen con su criado atención superflua y cuidado baldío.

Cuando está el inferior con el superior con vanidades de igual, entonces merece despegos, merece castigo; pero cuando está con el reconocimiento de diferente y con el rendimiento de menor, entonces, si no merece estimaciones de compañero, merece agrados de bien visto.

La razón que dio el emperador para mandarle salir de entre aquellos caballeros fue que no se había de igualar con los hombres a quien podía servir. Para poder servir un hombre a otro, no es menester que el uno sea noble y el otro plebeyo sino que el uno sea rico y el otro pobre, que el uno no tenga que comer para sí y que el otro tenga que comer para sí y para otros. La servidumbre no significa vileza sino necesidad. Muchos criados hay de mejor sangre que sus amos, y no son dignos de menor estimación aquellos a quien honró la naturaleza que aquellos a quien honra la fortuna. Innumerables amos hay que, si se trocara la suerte, se tuvieran por muy dichosos de servir a sus criados. Fuera de esto, aunque uno por su calidad y su fortuna pueda servir a otro, mientras no le sirve no le debe atenciones de criado. La suma desigualdad la causa el interés del sustento. Mientras uno no vive a costa de otro, no se queda en tanto grado inferior que alguna vez no pueda tomarle desahogos de libre. Los criados no se diferencian de los esclavos más que en una cosa y es que el criado, para dejar a su amo, se va y el esclavo se huye. El que no es criado de otro, que es como ser su esclavo, bien puede tener engreimientos de animal de su especie, por mucho que los diferencien los hados, pues solamente en los que sirven caben los abatimientos de bruto.

Mandó Adriano al criado que envió para que apartase al otro de los senadores que le diese una bofetada para apagarle la gloria de estar con hombres tan ilustres. No debía de saber el emperador el estilo con que hablan, con que tratan los hombres de grande dignidad con los que no la tienen. Yo juzgo que si lo supiera, le dejara por bofetada la soberanía de los senadores. El agrado de los hombres primeros en la República, para con los que están más abajo, tienen casi siempre agravios de desprecio. Su apacibilidad se forma de tales palabras que está acordando la superioridad. Miran al inferior que agasajan con altivez, escúchanle sin atención; si dice algo que no es muy de su gusto, se mesuran; si habla algo digno de estimación, se lo celebran como de benignos, no como de admirados; déjanle cuando se les antoja, tan olvidados dél como si hubiera cien años que no lo vieran. Todas estas cosas están lastimando al que las sufre, como si le estuvieran desollando, y todas las sufre por la vanidad de que le vean ladeado con los que son mucho. Bien se puede presumir que el que se sujetaba a estos baldones mansos por adquirir honra haría otras cosas buenas por adquirirla. Con que aquella acción no era digna de pena, porque no era mala, pues era sólo una diligencia lícita para 5 la estimación de su dueño, y por las señales que daba de espíritu noble, era merecedora de ser bien vista y aun de ser premiada. Pero este hombre debía de ser muy desgraciado, pues la fortuna le traspintaba las acciones y les daba color de malas, 10 siendo buenas. La fortuna aprendió, sin duda, los encantos de Circe y, como esta hechicera transformaba los hombres en bestias, ella, cuando está enojada, transforma las virtudes en delitos. Finalmente, si esta baraja de estados no fue buena, quien merecía 15 el castigo eran los senadores que desmedraban su autoridad con la compañía; no el que con la compañía se granjeaba estimaciones.

ERROR XV

En casa de cierto siciliano entró un amigo muy familiar suyo con grandes señales de pesar y dolor. El siciliano le preguntó lo que tenía y respondióle el afligido hombre
5 *que su mujer se había ahorcado de una higuera que tenía en un huertecillo de su casa. En el mismo punto que lo oyó se hincó el siciliano de rodillas y le dijo: «Amigo, por Dios te ruego que me des de ese árbol con qué plantar otro en mi huerta.» Quísole dar a en-*
10 *tender que era grande dicha que las mujeres propias se ahorcasen. Ríelo y celébralo Cicerón.*

Discurso

De la manera que no es ciudad la que no tiene familias, no es familia la que no tiene mujer. Muros
15 sin gente es campo cercado; casa sin mujer es poco

---

11 «Salsa sunt etiam quae habent suspicionem ridiculi absconditam, quo in genere est Siculi illud, cui cum familiaris quidam quereretur quod diceret uxorem suam suspendisse se de ficu, 'amabo te', inquit, 'da mihi ex ista arbore quos seram surculos'.» Cicerón, *De oratore,* II, LXIX, 278 (London, 1951). Así Zabaleta tomó en serio lo que patentemente fue escrito con propósito cómico. Palau y Dulcet enumera docenas de ediciones de Cicerón que estaban al alcance de Zabaleta. A pesar de esto, la adscripción de los dos errores, XV y XXI, parece dudosa por las numerosas

menos que casa yerma. Un hombre con sólo un brazo deja imperfectas todas las acciones corporales. La casa sin mujer propia está manca, nada se hace en ella como debe hacerse. Parece cosa imposible que en un cuerpo tan delicado como el de una mujer haya alma tan trabajadora. Innumerables son las obras menores que son menester en una casa: todas las manda la mujer propia, si es rica; en todas sirve, si es pobre. A nadie se le esconde que el mandar es trabajo; todos saben que el servir es martirio. Cuanto un marido desperdicia en la calle, restaura la mujer gobernando su casa. Y en esta parte se me representan las mujeres divinas, porque parece que no se puede hacer sin milagro recuperar a menudencias lo que se pierde a prodigalidades. Sólo para una enfermedad se había de sufrir toda la vida la mujer propia. ¡Desdichado del hombre enfermo que está sin ella! Nadie sabe imitar sus agasajos, nadie sabe igualar sus atenciones. Muchos hay que asisten con grande piedad a los que sin salud padecen; ninguno hay que llene, que acabale las solicitudes, los oficios de la mujer propia. Nadie se ha tratado a sí mismo sano con tanto cariño como trata la mujer casada a su marido enfermo. Allí se averigua qué es la vida de entrambos, pues mira la mujer tanto por aquella vida. Nunca cuesta tantos desvelos vida que no es propia. Glorioso pedazo de reino es la propia mujer, en ella halla el marido quien le ame y le obedezca. El reino es dignidad de honra y provecho. Provecho

---

discrepancias y por ser ambas anécdotas muy comunes. Como ejemplo de su difusión, véase Paul E. Beichner, C. S. C., «The Allegorical Interpretation of Medieval Literature», en *Publications of the Modern Language Association of America*, LXXXII (1967), pág. 34, donde se comenta el uso por Chaucer de esta anécdota en *Canterbury Tales*, III.

y honra halla en su mujer un hombre. Corona es la mujer del marido.

A esto me dirán que todo esto hay en la mujer buena, pero que en la mala o no lo hay o hay lo 5 contrario. Y yo respondo a esto que si entienden por mujer mala la mujer que es adúltera, tienen razón; pero no entienden bien, porque la adúltera no es mujer, sino demonio, o por lo menos para con su marido no es mujer. El matrimonio se contrae 10 entre dos vivos; en estando muerto el uno, no hay matrimonio. La mujer que cometió adulterio, en el mismo punto que le cometió fue digna de muerte. Aunque no se ejecute en ella la pena señalada por las leyes, queda para con su marido tan sin ejercicios de 15 esposa como si hubiera muerto, que la que mereció morir por esposa indigna, queda indigna de parecer esposa. De suerte que, o por muerte o por demonio, no se puede llamar mujer la que es adúltera. Si llaman mala a la mujer propia de condición recia, se enga-20 ñan, porque la más celosa, la más pendenciera, la más contumaz, quiere, obedece y sirve a su marido y hace honra y vanidad de quererle, obedecerle y servirle.

Debían de querer estos que hablan mal del estado del matrimonio que las mujeres les sufriesen sus 25 impertinencias, sin tener ellas impertinencias, que las sufriesen, que sirviesen y no molestasen, que fueran de gusto y no de embarazo. ¡Bello melindre! Al mejor esclavo del mundo es menester sufrirle mil imperfecciones, ¿qué mucho será sufrirle algunas a la 30 mujer propia siendo de mucho más provecho que esclavo? Las que se habían de quejar eran ellas, pues tienen mucha peor suerte que el esclavo más infeliz, porque el esclavo puede mudar de dueño y la mujer no puede mudar de marido.

Véase cuán dignas son las mujeres de estimación en que los hombres, siendo los dueños, los mandadores, andan siempre diciendo mal del casamiento y ellas, siendo las que obedecen, las que sufren, nunca le murmuran, siempre le ensalzan. ¿Hay con 5 qué pagar en el mundo a una mujer que lleva con prudencia a un marido vicioso y mal acondicionado, que siempre son en su casa mal acondicionados los viciosos? No sólo no hay premio con que satisfacerla, pero ni palabras con que aplaudirla. El marido de 10 peor fortuna lo más que tiene que sufrir en su mujer es la condición; pero la mujer le sufre al marido la condición y el agravio, la condición y el desprecio, la condición y las descomodidades. El marido que tiene la mujer de condición fuerte, con salir a la 15 calle descansa. La mujer que tiene el marido vicioso, mientras no está en casa padece más, porque padece todo lo que presume que hace. Grande admiración hace a todos el matrimonio de la víbora y la murena. Cásase con la murena la víbora; éste es animal te- 20 rrestre y el otro acuátil. La víbora es animal venenoso y terrible; la murena es animal delicado y suave. La víbora se engolfa en los arenales cansado de la murena; la murena rompe las aguas para buscar el sustento. Cuando se le antoja a la víbora, vuelve a la 25 orilla y llama a silbos a la murena; ella le oye y le conoce, y sabiendo que va a la obediencia de un animal lleno de tósigo y veneno, no se resiste a la obediencia porque se conoce esposa. Rinde la voluntad a la obligación y por hacer su obligación no 30 hace su voluntad. Sale al puesto en que la vocean y al esposo insufrible asiste cariñosa. Esto que asombra tanto en la murena, siendo dictamen de la naturaleza y no mérito del discurso, no hay rincón en el mundo

en que no haya una mujer que lo haga con atención más reverente. Innumerables son las mal casadas. Todas sirven y acarician a sus maridos y, aunque parece que es porque los temen, no es sino porque
5 los tienen. Segura estaba en el golfo la murena si quisiera no acudir a su esposo. Muchas partes hay donde huir de un marido, si quisieran huir las mujeres. Algunas lo hacen, pero son muy pocas. Las más aman y sirven a los maridos que las maltratan.
10 Quéjanse de las mujeres los hombres y son los hombres los que hacen de condición áspera y dificultosa a las mujeres. Trátanlas como a trasto que sobra; saben ellas que son compañía necesaria y sienten el desprecio. El imperio que tiene el marido
15 sobre la mujer no es como el que tiene el dueño en la alhaja sino como el que tiene el alma en el cuerpo. El dueño puede vender, despreciar y maltratar la alhaja que le dio la suerte; el alma no puede, mientras está con el cuerpo, dejar de darle calor y vida: con
20 agrado le gobierna, con suavidad le rige. Segunda alma es el marido de su esposa; trátele como alma y lo querrá como a su vida.

Doy que la mujer sea de condición despegada y arisca. Tal cual es, es pedazo de su cuerpo; tal cual es,
25 está mejor con ella que sin ella. El brazo que se quiebra, el que se debilita, no es aborrecible porque se debilite o se quiebre; tal cual es, le tratamos como a carne propia; tal cual es, adorna y sirve poco o mucho La mujer, sea la que fuere, se ha de tratar
30 con cariño porque, sea la que fuere, es comodidad y conveniencia. Yo no digo que con las mujeres se vive sin alguna molestia, pero afirmo que sin ellas no se vive. La soledad de la vida soltera tiene descomodidades de muerte.

Si a alguno le oyésemos decir que los hijos son prendas aborrecibles, le tendríamos por loco o por bárbaro, porque es parentesco muy grande y muy antiguo el que hay entre los hijos y los padres. Con mucha más razón tendremos por bárbaro o loco al 5 que oyéremos decir que son aborrecibles las mujeres propias, porque este parentesco es el más antiguo y el más grande. Que es el más antiguo no tiene duda, porque primero hubo marido y mujer que padres e hijos. Que es el más grande tampoco la tiene, porque 10 nadie es más pariente de otro que de sí mismo. El hijo representa al padre, pero es otra persona. La mujer es la mitad de la persona del marido.

Quien quisiere saber con cuánta razón defiendo el estado del matrimonio, atienda a que la causa de 15 escarnecerle y satirizarle el vulgo es porque los hombres pierden mucha parte de su libertad para ser malos con el freno de las mujeres propias. Por esto se cansan de ellas, por esto las calumnian. Lo que obliga a ser bueno, no puede ser malo. No es malo el 20 estado que intenta hacer buenos. Bien malo debía de ser este siciliano que deseaba que su mujer se ahorcase. ¿Qué más ahorcada la quería que casada con un hombre que le deseaba la muerte?

ERROR XVI

Julio César tenía un caballo que no sufría sobre sí a nadie sino a su dueño. Este animal tenía los pies de tan extraña forma que parecían más de hombre que de
5 *caballo. Quísole el César tanto que, viéndole muerto, le hizo un sepulcro suntuosísimo delante del templo de la diosa Venus. Cuéntalo Plinio con palabras de estimación y aplauso.*

Discurso

10 Los brutos nada de cuanto bueno hacen, lo hacen por ser mejores ni por agradar a las gentes, sino ya porque la naturaleza se lo dicta, ya porque los hombres se lo enseñan y se lo mandan. La tierra no merece agradecimiento porque dé naturalmente las
15 flores ni porque dé, cultivada, los frutos. El fin hace las obras malas o buenas. Sin tener algún fin no pueden ser las obras buenas ni malas. En los brutos no hay discurso para elegir fin; con esto, sus obras,

---

8 «nec Caesaris dictatoris quemquam alium recepisse dorso equus traditur, idemque similis humanis pedes priores habuisse, hac effigie locatus ante Veneris Genetricis aedem». *Natural History, op. cit.*, VIII, LXIV. 155.

por buenas que sean, no merecen premio. Dios los cría para el servicio del hombre y tan para nuestro servicio que los priva de intención por aliviarnos de la carga de la recompensa. El gallo, porque vela, no merece agradecimiento; el toro, porque es celoso; el camello, porque es incansable; el elefante, porque es servicial; ni el caballo, porque es obediente, porque todos lo hacen sin saber por qué lo hacen.

Estaba muy pagado Julio César de que su caballo no sufría sobre sus hombros otro hombre. Para no ser en esto singular ni primero, tenía delante de sí el caballo de Alejandro Magno. Para no ser admirado como prodigio, tenía muy patente la causa. Era caballo de la persona del César; no subía en él otra persona. Tenía enseñados los ojos a aquella presencia, los hombros a aquel peso, la boca a aquella mano; con esto, si se ponía en él persona diferente, como desconocía el semblante, extrañaba el peso y no entendía la mano, procuraba echar de sí aquella mano que no entendía, aquel peso que extrañaba y aquel semblante que no conocía. Creía su dueño que era lealtad y no era lealtad sino miedo, causado de la costumbre que tenía de que otro le mandase. No se puede dudar en que era la costumbre, porque cuando este caballo entró en poder de Julio César era preciso que, ya que no fuese hecho, fuese domado. Otro hombre y otros habrían subido en él para enseñarle a sufrir bocado y carga. La primera vez que se puso en él Julio César no podía el caballo tenerle amor; si no estuviera enseñado a padecer el imperio de cuantos en él quisieran subir, hubiera procurado arrojarle de sí con enojo. Ni el emperador era tan temoso que, en conociendo en el caballo fiereza peligrosa, había de querer servirse de su fiereza, porque, teniendo otros más obedientes de quien servirse, era bizarría con más achaques de necia que méritos de aplaudida. Sufrióle, sin duda, con humildad el caballo, mostró buena naturaleza, gustó el César de 5 sus habilidades y mandó que fuese uno de los que a él solo servían. Sirvióse acaso más dél que de otro. Con esto hizo costumbre el caballo a no conocer otro dueño y recelábase de que otro quisiese mandarle.

La misma condición tenía el caballo de Alejandro, 10 pero más descubierta. Este bruto, cuando estaba con aderezo ordinario, se sujetaba a cualquiera; en poniéndose los paramentos reales, no consentía sobre sí si no a su dueño. Estaba acostumbrado a que con aquellos aliños, nadie, sino su dueño, le sujetase. En 15 siendo otro, se enfurecía, porque la novedad le hacía pesadumbre. En ambos caballos parecía fineza lo que era instinto y el instinto no tiene méritos de fineza. Un embajador de los Partos le presentó al emperador Trajano un caballo que se ponía de rodillas delante 20 dél. ¿Podíase decir por esto que este caballo veneraba al César? No, por cierto, porque aquello no era reverencia a la persona sino obediencia al precepto. Hacíanle cierta señal, que ya él conocía, que era para que doblara los brazos y se afirmase sobre ellos, como 25 si los tuviera troncados; y él, en sintiendo la señal, lo hacía. Si este caballo hiciera acatamiento a la dignidad real, merecía que la dignidad real le agradeciera el acatamiento, pero él hacía aquel ademán reverente, no porque supiese a quién le hacía, sino 30 porque sabía hacerle cuando se lo mandaban.

La otra razón porque Julio César quería mucho a su caballo era porque tenía los pies como de hombre. No era buena razón para quererle. Toda monstruosidad es fealdad y toda fealdad es aborrecible. Un hombre con pies de caballo espantara. Un caballo con pies de hombre no podía dejar de ser horrible. Estas señales raras veces las pone acaso la naturaleza. Casi siempre son aviso para que se guarden de aquella inclinación. Si en el fuego material no hubiera puesto luz 5 y humo, nos hiciera mucho mal el fuego. Para que nos guardásemos dél, le puso aquellas señales. En la figura del cuerpo dibuja la naturaleza las costumbres. El animal que tiene la figura extrañamente fea parece que ha de tener el interior extraordinariamente malo. 10

Pero doy que desta monstruosidad no le resultasen a este caballo imperfecciones nuevas, ¿no se tenía él hartas como caballo? ¿Era más que un bruto, inquieto y feroz, que costaba mucho y servía poco, que ni podía sufrir el ocio ni el trabajo, que unas 15 veces era desesperado y otras cobarde, que aquí temblara de una sombra y allí se arrojara de una peña, que sólo servía a la vanidad y que nunca era a la necesidad de provecho? Éstas no eran razones para enterrarle ni aun entre los hombres muertos, 20 ¿cómo lo serían para sepultarle entre los hombres vivos? Vivos, todos los brutos tienen mal olor, ¿qué olor tendrán muertos los brutos? Vivo y muerto, se parece en esto a todos los demás brutos un caballo. Todas las prolijidades de la vanidad humana no le 25 han podido hacer que huela bien vivo, ¿cómo le harán que huela las abominaciones de la muerte? De sólo pensarlo se revuelve el estómago.

Enterró, en fin, César su caballo entre los vivos. Parecióle poco esto, y mandóle labrar costoso se- 30 pulcro. No sé cómo el dinero quiere tanto a los ricos

---

31 Zabaleta critica a Semíramis (error XXII) y Artemisa (error XXXI) por excesivos gastos funerales.

que se va siempre a ellos, viendo en lo que lo gastan. Los más para lo que le quieren es para vicios y disparates. ¿Para un sepulcro de un bruto padecen los pórfidos, hierven los metales y sudan los hombres? 5 Quiso el emperador extender este error cuanto pudo y llególe a sacrilegio. Hizo el entierro de su caballo enfrente del templo de la diosa Venus. Falsa era la deidad, pero él no la tenía por falsa. Creyéndola verdadera, cometió delito contra su culto. La adora- 10 ción necesita de corazón y de ceremonia; de corazón, para que no sea fingida, y de ceremonia, para que se vea el corazón. Si el corazón se infiere por la ceremonia, no adoraba de corazón Julio César a la diosa, pues puso cara a cara con su templo venerado 15 el sepulcro de su caballo. Adorar es servir; quien no sabe servir, no sabe adorar. Los desacatos son errores de la reverencia. No venera bien quien hace desacatos. Bruto parecía en el errar quien no podía dar por disculpa de su error sino a un bruto.

ERROR XVII

A Anaxágoras, filósofo afectadísimo, le dijeron que un hijo suyo era muerto y él respondió con mucha entereza: «Bien sabía yo que le engendré mortal.» Dícelo Diógenes Laercio y no tienen número los que lo celebran. 5

DISCURSO

Grande trabajo le debió de costar a este hombre ocultar su dolor, pero nunca se defiende un error con poco trabajo. Después dél empezó la escuela de los estoicos, pero él debió de ser de aquella opinión 10 antes que ellos. Éstos eran unos filósofos que negaban, como naturales en el hombre, los afectos con que nuestro ánimo se mueve, confesándolos como voluntarios. Decían que la lástima, el deseo, el temor, la

5 «Et quum illi renuntiata esset et damnatio sua et filiorum mors, de condemnatione dixit: Olim natura et illos *(judices)* et me mortis damnavit: de filiis, Sciebam me genuisse mortales.» *De clarorum philosophorum vitis*, II, 5, 13. La versión de Zabaleta se parece más a la de Valerio Máximo: «Ne Anaxagoras quidem supprimendus est: audita namque morte filii inquit 'nihil mihi inexpectatum aut nouum nuntias: ego enim illum ex me natum sciebam esse mortalem'.» *Op. cit.*, V, 10, ext. 3. En forma parecida la anécdota se encuentra también en Aeliano, *Varia historia*, III. 2.

alegría y la tristeza eran enfermedades de que había de carecer el hombre sabio, que procedían todas de la destemplanza de la voluntad y que, con esto, estaba en su mano el tenerlas o el no tenerlas. Con este engaño batalló mucho tiempo la razón de todos los vivientes, porque se hallaban todos combatidos de sus afectos, pero ¿qué mucho, si nacen con todos? Tanto vale afirmar que nacen sin afectos los hombres como que nacen sin alegría los becerros, sin ira los tigres, sin miedo los venados y sin veneno las serpientes.

Cuanto dio la naturaleza a cada animal de por sí, lo juntó todo en el hombre. En todos hay ira, en todos hay miedo, en todos piedad y en todos alegría. La filosofía natural ha hallado dentro de nosotros mismos los manantiales de nuestros afectos. Dice que la alegría se engendra en el bazo, el apetito o sinrazón en el hígado, la ira en la hiel, el miedo en el corazón. Siendo esto así, ¿cómo es posible quitarle a un cuerpo humano los afectos, si no es quitándole la vida? Para quitarle el miedo y la tristeza es menester quitarle el corazón; para quitarle el apetito desordenado el hígado; para quitarle la alegría el bazo; y quitarle la hiel para quitarle la ira. Miren, ahora, cómo podía vivir un cuerpo sin corazón, sin hiel, sin hígado y sin bazo. Sujeta está a las pasiones nuestra alma. Inexcusables son los afectos en el hombre. Pero dichoso él, pues se le dio razón con que mandar estos afectos.

Siendo, pues, verdad que cuando la fortuna da un trabajo, produce el corazón una pena, quiso Anaxágoras dar a entender que no sentía el repentino anuncio de la muerte de su hijo, teniendo por mejor parecer piedra que parecer hombre. ¡Oh error fuerte! ¿Era, por ventura, más gloria ser tenido por hombre entero que por buen padre? Tremenda locura hacer creer al mundo que pueden no sentirse la muerte de los hijos, no habiendo en el mundo quien no la sienta y no habiendo en el mundo a quien no le pesara de no sentirla. Dentro de aquel dolor hay el gusto de pensar un hombre que cumple con las obligaciones de humano, y es grande gusto cumplir los humanos con sus obligaciones.

Ninguna cosa hay en la tierra que necesite tanto una de otra como los niños de los padres. Si éstos no les tuvieran amor, sino sola obligación, no les había dado la naturaleza buena tutela a los niños. Obligación que no la hace cumplir el gusto, se cumple muy mal o no se cumple; el amor hace liviano cualquier peso; sin amor no hay quien le sufra. Grande es la obligación que tiene un marido a su esposa y, si no la quiere mucho, no hay día en que no falte a su obligación. El cariño es ligadura con que afirma las cargas la naturaleza porque no se deslicen. Sin esta ligadura arrojarán fácilmente todos la carga. Conócese el amor que puso la naturaleza en los corazones de los padres en la inhabilidad con que nacen los niños. Ella que hizo los corazones, si no supiera el amor que había puesto en ellos para con los hijos, no dejara salir criatura racional del vientre de su madre sin toda la facultad necesaria para vivir por sí misma, porque lo contrario fuera no querer conservar sus obras, y esto es imposible. Alguno me querrá contradecir con los hijos de los cuervos, a los cuales, contra la crueldad de los que los engendraron, socorre Dios de la piedad de otro pájaro, asegurando con esta semejanza que Dios proveyera a los niños, si sus padres los desampararan, de otro animal que los favoreciera. A esto le respondo que el hijo del cuervo tiene la niñez muy corta, con que es fácil de sufrir su embarazo, fuera de que en negreándole la pluma le reconocen sus padres; y esto se hace con tanta brevedad que no tiene lugar de cansarse el 5 pájaro piadoso que le prohijaba.

Esto no corre con los hombres porque tienen la niñez cerca de la cuarta parte del período de la vida más larga. Y si la naturaleza conociera que los padres no habían de hacer caso dellos, aun previ- 10 niéndoles otro animal que los socorriese, los hubiera dado la niñez más corta, porque sin todo aquel amor, que solamente cabe en el corazón paterno, no hubiera animal por piadoso que fuera que pudiera sufrir el peso de niñez tan larga. Cada día vemos esta verdad 15 certificada en los que se encargan de criar niños huérfanos, a los cuales toda la piedad humana no ha podido hacer que los traten como a hijos.

Asentado que naturalmente aman a sus hijos todos los padres, no se puede negar que sienten todos la 20 falta de sus hijos, porque en la cantidad que se ama una cosa se siente el perderla, y amando tanto al hijo el padre, es fuerza que sienta mucho el padre la muerte del hijo.

La razón que dio este filósofo para no mostrar 25 sentimiento de la muerte del suyo fue decir que ya él sabía que le había engendrado mortal. No hay persona en el mundo que no sepa lo mismo y no hay persona en el mundo que no se lastime de que sus hijos se le mueran. Todos los humanos saben que 30 han de morir y cada uno lo siente cuando se muere, porque piensa que todavía podía vivir más. Nadie ve morir a su hijo tan viejo que no pueda vivir por lo menos los años que él ha vivido; y esto que deja de vivir, siendo posible, le atormenta. Después desto, se siente el desamparo que hacen los hijos que mueren a cuantos en aquella familia viven. La nave con muchas áncoras está muy segura; el linaje muy numeroso está sin riesgos de abatido. La vejez es niñez segunda; tan necesitada vive ésta del amparo de los 5 hijos como la otra del amparo de los padres. Si los niños, a quien los padres se les mueren, tuvieran la razón en estado de conocer su desdicha, o la pena los matara o vivieran con grande pena. La niñez de los que envejecen es niñez con entendimiento. Éstos, 10 viendo que se les mueren los hijos que habían de hacer con ellos oficios de padres, ¿cómo pueden dejar de sentir dolores de muerte?

Yo confieso que en la vida tienen más certeza los males que los bienes y que es más fácil que el hijo 15 salga infeliz o malo que dichoso o bueno; pero nuestros corazones se inclinan antes a esperar bien que a temer el mal y, siendo más posibles los males, miramos como más fáciles a los bienes. Este engaño nos hace tan cierto el dolor en la muerte de los hijos 20 que no es la esperanza más incierta.

No hay animal en toda la naturaleza que no desee hacer eterna su especie, porque así le parece que hace eterna su vida. Esto no puede ser, si no por medio de los hijos, con que para no sentir la muerte, es 25 menester estar mal con la vida y la naturaleza. Todos los mortales sienten la falta de sus hijos, porque nacen con afectos, porque les tienen amor y porque se tienen amor. De aquí se infiere que Anaxágoras quiso hacerse famoso con una mentira imposible, pero 30 erró el camino de la fama. Una mentira deshace mil verdades; cogido en ésta, no adquirió opinión con ella, y puso una tacha y una duda en cuanto podía hacer bueno para adquirir opinión grande.

ERROR XVIII

Astidamas fue un representante que agradaba mucho a todos. Quisiéronle pagar los Magistrados de la República el artificio y la gracia con que los entretenía y 5 *mandáronle poner una estatua en el teatro. Apenas el hombre lo supo, cuando escribió un título para el pedestal de la estatua tan lleno de alabanzas propias que de allí adelante llamaban Astidamas al que se alababa a sí mismo. Cuéntalo Juan Ravisio Textor.*

10 ### DISCURSO

Los hechos grandes merecen la veneración y la veneración inventó las estatuas. Yo me holgara que me dijeran estos magistrados de qué importancia es representar bien para que de aquí sacaremos la esti- 15 mación que merece. Pero pues ellos no me lo dicen,

---

1 Este error no aparece ni en las varias ediciones de su *Obra en prosa* ni en la edición de los *Errores celebrados* preparada por Martín de Riquer, Barcelona, 1954. Sin embargo, consta en las dos primeras ediciones de los *Errores celebrados:* Madrid, 1653 y Lisboa, 1655.

9 «Astydamas fuit histrio Morsimi filius, cui statua in theatro ponenda decreta erat, quod in agẽdo Parthenaeũ sese gnauiter ac scitè gessisset. Itaque titulũ cõscripsit, quo suasipse laudes cõplectebat. Vnde natũ Adagiũ. Laudas teipsum Astydamae in modum.» *Officinae, op. cit.*, pág. 179.

yo se lo diré a ellos y ya que es tarde para enmendarlos, no es tarde para descubrirlos. Sepa el mundo que ellos erraron para que no yerre como ellos lo que resta del mundo.

Para que tenga un hombre méritos de famoso es menester que sea singular en una cosa y que esto, en que es singular, sea grande. Si uno hiciese ratoneras o palillos de dientes mejor que cuantos los han hecho en el mundo, no mereciera por esto andar en retratos ni estatuas. Mírese ahora lo que hace el mejor comediante y se verá lo que merece.

Lo que hacen los comediantes es una cosa que, ya que el verla no sea malo, es mejor no verla. Esto es cuando la hacen dentro del círculo con que la ha ceñido la atención política y sin dilatar las medidas con que la ha ajustado la discreción cristiana. ¿Qué será cuando faltan a la moderación impuesta? Y muchas veces faltan. Las comedias son siempre (porque de otra manera las aborrecería el pueblo) o de argumentos amatorios o llevan tantos episodios de amores que son lo más de su argumento. En esto que es tan mal seguro ponen los representantes a veces ademanes y gestos tan lascivos que la virtud de la honestidad en los oyentes o está padeciendo o en la última línea peligrando. ¿Qué mucho, si suele esta gente en los pasos de amores desordenarse (cada uno en su sexo) tan fieramente, que si al afecto que en el paso fingen, le saltan versos que expriman toda su malicia, ellos le añaden unas prosas tan libres que la hacen patente?

Lo que hace un comediante cuando no hace nada malo es no hacer nada. Alquila su cuerpo al ocio entretenido de la República y quédase en su trabajo ocioso. La vejez pobre es conjetura de mocedad bal-

día. No he visto vejez de comediante que no sea necesitada. Ocioso debió de vivir quien muere mendigo. El sueño es ocio. No tiene parte el ocio más sin ejercicio que el sueño. Lo más que se puede hacer
5 durmiendo es soñar y los que sueñan no hacen nada. Los comediantes están siempre soñando; deben de estar siempre durmiendo. Los que duermen sueñan unas veces que son los reyes, otros que son ganapanes, hoy que se les muere un hijo, mañana que se casan
10 con una princesa, ahora que se les cae la casa y luego que se hallan un tesoro. Esto les está a todas horas pasando a los representantes, por la noche tomando de memoria los papeles, por las mañanas en los ensayos y por las tardes en las tablas. Estar
15 soñando siempre es estar durmiendo siempre. Si quien duerme no hace nada, siempre está ocioso el comediante.

Nunca merece premio el ocio; el comediante nunca merece premio. Muchas aplicaciones hay en el mundo
20 muy desaprovechadas porque son a cosas tan superfluas que el hacerlas muy bien vale poco más que el no hacerlas. Éstas tienen el engaño en la estimación que, aunque no es mucha, es alguna. Quien sube por una escala podrida va a grande riesgo de caer,
25 pero antes de caer suele subir algunos pasos. Los que se aplican a cosas sin sustancia, entran en la estimación por escalones podridos, dan algunos pasos pero caen presto. Tuvieron a algún lustre, aunque falso, pero aunque falso amable. A los que se aplican a
30 representar ¿qué estimación los engaña? No hay gente tan despreciada en la República. En el teatro, que es donde pudieran desmentirse con las galas y

4 Debe entenderse: el ocio es tan sin ejercicio como el sueño.

engañar con la máscara de las personas que representan, es lástima como los trata la plebe. Unos les dicen que salgan, otros que se entren, unos que bailen, otros que lo dejen, unos que canten, otros que rebuznen y, si no lo hacen todo, los maltratan 5
y los baldonan. En saliendo a la calle es raro el hombre, por abatido que sea, que no rehúse su lado. No hay persona de fortuna tan baja que reconozca a un comediante por su pariente. ¡Ay gente infeliz, pues ni aun un pedazo de estimación podrida tenéis que 10
os disculpe! Lo que todos desprecian no debe de ser bueno para nadie. A un hombre muy leído y muy discreto de la antigüedad le preguntaron qué cosa había peor que un comediante y él, no hallando cosa peor, respondió que otro comediante. 15

Díganme ahora, si cuando un representante hace lo que debe, desmerece con lo que hace ¿qué merecerá cuando lo que hace es culpa y exceso? Las estatuas sirven de que se queden los siglos con la presencia de los que hicieron algo bueno. ¿Para qué 20
es buena la presencia de un comediante en los siglos si no hizo nada bueno un comediante? Su memoria había de estar borrada de ellos para que no quedaran dechados de inútiles ejercicios. Eternizarle en piedras no es más que engañar a la juventud mal 25
experimentada que pensará, viéndole venerado en un mármol, que el representar es ocupación gloriosa. Querrá entrar en ella y despeñaráse.

Para que se vea cuán digno es un comediante de una estatua, miren qué presto éste, a quien se le 30
puso, dio señas de lo que era. En el mismo punto que supo que había decreto para que se le labrase, escribió él mismo un título para el pedestal con tantas alabanzas propias, y sobre propias disparatadas,

que quedó por apodo de un vicio su nombre. Desde entonces en viendo a uno tan locamente soberbio que se alababa mucho, le llamaban Astidamas. El sol, cuando da en un escarabajo, le hace 5 más feo. La honra, cuando da en un indigno, le hace más indigno.

ERROR XIX

Al filósofo Aristipo, tenido y venerado por hombre de claro y singular ingenio, le preguntaron otros hombres doctos que cuál era la cosa más digna de admiración del mundo. Y él respondió que un hombre virtuoso, porque viviendo entre muchos malos se quedaba bueno. 5
Estobeo lo cuenta y lo celebran todos.

Discurso

La virtud es natural en el hombre. En menudas centellas nace con nuestro corazón. Si nosotros no 10 las apagamos, suben a llamas. Nació para el cielo el hombre: ¿cómo había de nacer sin tener dentro de sí principios que le encaminasen al cielo? La perfección que cierra y consume su fábrica es la virtud. Sin la virtud del ver no estuvieran acabados los ojos. 15 Sin los principios de la virtud no estuviera el hombre acabado. Hízole Dios imagen suya: ¿cómo había de

---

7 «Aristippus interrogatus, quid esset admirandum in vita: Vir probus, respondit, & moderatus, quoniam etsi inter moltos [*sic*] improbos agat, non tamen pervertitur.» Stobaeus, *op. cit.*, sermón 37, «De Bonitate», página 220.

ser su imagen, si fueran en ellas virtudes forasteras? La culpa es la advenediza en el corazón humano; ésta es la que no es natural del corazón. Vese palpablemente en la inquietud que trae el corazón con la culpa. No hay dos cosas tan desavenidas. Bien puede por un rato estar sin susto el corazón del que peca, pero no puede pasar de un rato. El que está en una cárcel condenado a muerte bien puede a regalos y delicias divertirse un poco, pero no puede pasar a mucho su divertimiento. La congoja del castigo que espera le atormenta furiosa. El olvido de la pena es muy breve en la culpa, a mordeduras lo acuerda el gusano que engendra en el corazón el delito. No puede haber lluvias sin nube, no puede haber sin interior tristeza pecado. El rosal, a quien el viento le llevó las rosas, aunque le aten a las ramas otras rosas contrahechas, no tienen la lozanía que con las que le llevó el viento. Como no son naturales de allí aquellos colores, no introducen verdadera alegría, antes introducen tormento, porque hay hierros duros debajo de aquellos colores. El corazón a quien los vicios le deshojaron las virtudes, aunque el mundo introduzca en él deleites, como son advenedizos, no le pueden quitar el pesar de las virtudes que se le perdieron. Parecen rosas y son arambres, parecen deleites y son penas.

Siendo, pues, natural la virtud del corazón humano, ¿por qué ha de ser digno de admiración que haya hombres virtuosos? Obrar cada cosa con su naturaleza es estilo ordinario; obrar contra su naturaleza es prodigio. El prodigio es, si se mira bien,

17 Hay que sobrentender la frase 'tiene el rosal' después del relativo 'que'.

que haya hombres malos, siendo tan conforme con la naturaleza que sean todos buenos.

Pero, cuando no fuera la virtud natural del alma, lo que era digno de admiración era que hubiese hombres viciosos, no que hubiese hombres ajustados. Y si no, mírense las razones que tiene la virtud para ser amada y las tachas que tiene el vicio para ser seguido y se verá como es la maravilla que haya viciosos, no que haya justos.

Si los malos supieran el descanso interior de los buenos, creo que ninguno fuera malo. El paraíso está en su pecho. En el paraíso de la tierra hubo amenidad grande. Grande es la amenidad que hay en el pecho del justo. Allí arde la caridad, como el clavel; blanquea la castidad, como el jazmín; purpurea la modestia, como la rosa; la contemplación se vuelve como el girasol; la penitencia amarillea, como la retama; la humildad se encoge, como el alhelí; la piedad corre en dos ríos de dulcísimo llanto; la fe se sube atentando al cielo, como la vid por el olmo; la esperanza está siempre fresca, como el amaranto; la liberalidad se está deshojando, como la mosqueta. La fortaleza, que es la que guarda todas estas virtudes, se descuella a la entrada, como hermosísimo peñasco; la multitud de deseos de obrar bien se derrama en agradecidas inquietudes, como apacible selva de movedizos álamos. Sitio donde hay variedad tan hermosa, ¿cómo puede dejar de ser un paraíso? Hacia dentro es un paraíso el hombre virtuoso; hacia fuera, aunque esté despreciado, huele a divino. El paño humilde con que refregaron la piedra, en que se desató el ámbar, paño es humilde, pero humilde paño que huele a cosa preciosa; muy loco ha de ser quien le tratare como a paño humilde. Piensa el

mundo que las necesidades y los abatimientos tienen al virtuoso inquieto y triste, y él está tan alegre y tan sereno como el que desde una peña ve las olas del mar embestirse unas con otras, quebrarse unas
5 en otras y convertirse luego unas y otras en espuma. Mira el hombre ajustado desde la roca de la virtud embestir al avariento con la hacienda ajena, al ambicioso con las dignidades, al iracundo con quien le enoja, al glotón con los manjares; pelean unos con
10 otros, véncense unos a otros y, en muy breve tiempo, unos y otros se convierten en nada. Las locuras naturalmente hacen reír; quien ve tantas locuras, ¿cómo puede dejar de reírse? ¿Y cómo puede no estar gustoso el que ve que no hace aquellas locuras? Al
15 virtuoso todo le sucede bien, porque todo para él es bueno, si no es el ser malo. En la pobreza está quieto, porque sabe que cuida dél quien no le puede faltar. En los trabajos está tan en sí como si tuviera fuera de sí los trabajos. De las prosperidades hace el caso
20 que hiciera de una estopa ardiendo, que es fuego y luz que dura poco y no sirve de nada; con esto no le engañan las prosperidades. Si la virtud hace estos divinos efectos, ¿por qué no ha de ser de todos amada la virtud?

25 Veamos ahora lo que hace la culpa. Hace un infierno del pecho que la tiene. Allí la soberbia embaraza como hinchazón, la avaricia fatiga como cansancio, el amor arde como incendio, la ira desordena como locura, la gula precipita como ansia, la envidia
30 desanima como enfermedad, la pereza detiene como prisión; y aquí, en fin, lo que detiene, lo que desanima, lo que precipita, lo que desordena, lo que arde, lo que fatiga y lo que embaraza es con incansable, con increíble tormento. ¡Válgame Dios cuál anda un

hombre malo en la opresión de los vicios! ¿Quieren ver cómo anda? Pues figuren un rey poderosísimo, a quien en una batalla hicieron unos bárbaros prisionero, y que por mayor baldón y mayor pena le obligan a que con todas las insignias reales —cetro, 5 corona y púrpura— sirva en la cocina, ande acarreando agua, barriendo las calles, sacando inmundicias, llevando cargas y echando tierra en las obras. Miren luego a un hombre distraído en el cautiverio de sus pasiones y le verán andar con todas las insignias de 10 hombre —entendimiento, voluntad, memoria, juicio, discurso y articulación de palabras— sirviendo en la cocina de sirviente, traer a cuestas la carga de sus vanidades, barrer cuanto dinero hay en el mundo para echarlo en el muladar, acarrear regalos a casa 15 de la mujer deshonesta y echar tierra en las fábricas de su ambición; que si lo miran bien, verán como es indigno el pecado de ser apetecido.

Luego, siendo la virtud amable por su naturaleza y siendo por su naturaleza aborrecible la culpa, el 20 prodigio es que haya viciosos, habiendo virtudes, no que haya virtuosos, habiendo vicios.

La razón que dio el filósofo, para que fuese maravilla que hubiese un hombre bueno, fue porque vivía entre muchos malos. Tanto vale esto como 25 admirarse de que un ruiseñor cante como ruiseñor entre muchos cuervos y de que una palma lleve dátiles entre muchas encinas, siendo más digno de admiración, por ser contra la naturaleza, que la palma llevara bellotas y que el ruiseñor graznara como 30 cuervo.

ERROR XX

Darío, antes de ser rey, concurrió con otros hombres ilustres en un puesto público de la ciudad. Estaba entre ellos un hombre rico cuyo nombre era Silosonte. 5 *Éste tenía puesta una cobertura a manera de capote de campaña de mucha costa y de muy buen gusto. Miraba el capote Darío de cuando en cuando, con tanta atención, que le pareció a Silosonte que lo deseaba. Apartáronse de allí y enviósele, no sin algún sentimien-* 10 *to, a su casa, porque era alhaja digna de estimación. Recibió el presente Darío con mucha alegría, que el antojo suele hacer las ceremonias de la necesidad. Anduvo el tiempo y llegó a ser rey. Acordóse de Silosonte y, en recompensa del capote que le había presentado,* 15 *le dio toda la isla de Samo, donde había nacido. Escríbelo Estrabón por ejemplo raro del agradecimiento.*

---

16 «Hic cum Dario Histaspis dono dedisset uestem, quam ipsa gestante ille expetiuerat nondum ad regnum euectus: ab eo regnum adepto tyrannidem pro dono recepit.» Strabonis, *Rerum geographicarum libri septemdecim* (Basileae, MDLXXI), XIV, 2, 17. Puede consultarse Adolfo Schulten, *Estrabón, Geografía de Iberia* (Barcelona, 1952; Fontes Hispaniae antiquae, vol. VI), que tiene una bibliografía muy útil sobre las ediciones y traducciones de Estrabón. La anécdota se encuentra también en Valerio Máximo, *op. cit.*, V, 2, ext. 1: «Darius privatae adhuc fortunae amiculo Sylosontis Sami delectatus curiosiore contemplatione fecit ut ultro sibi et quidem a cupido daretur. Cuius muneris quam grata aestimatio animo eius esset adlapsa regno potitus ostendit: totam nanque urbem

Discurso

Muchos son los maestros que hay de enseñar a agradecer, los discípulos pocos. Para ninguna enseñanza ha sido tan torpe el mundo. Los que aprenden algo de esta doctrina, yerran lo más y lo más lo aprenden. Los mismos que la enseñan no aciertan a ser discípulos de sí mismos. Ninguna ignorancia es tan rebelde. Darío en el caso presente cayó en ambas culpas. Fue algún tiempo ingrato y, cuando quiso ser agradecido, no acertó a serlo. Erró por defecto y por exceso. Muchos lo hicieron antes. Muchos lo han hecho después. Estilo es ordinario de los corazones dar en un exceso por huir de un defecto. Casi siempre el que se quiere enmendar, de un extremo da en otro. Parecióle que no había hecho lo que debía y derramó lo que no debía. Recibió el agasajo del presente y olvidóse del agasajo. El peor de los desagradecimientos es el olvido porque arroja el beneficio tan lejos de sí que no le alcanza la memoria. El que niega lo que debe, para negarlo se acuerda de que lo ha recibido. El que lo disimula, memoria tiene de la deuda, porque lo que se esconde se tiene. Éstos alguna vez pagarán, porque la memoria les

---

et insulam Samiorum Sylosonti fruendam tradidit: non enim pretium rei aestimatum, sed occasio liberalitatis honorata est; magisque a quo donum proficisceretur quam ad quem perueniret, prouisum.» Valerio Máximo, que la cita como ejemplo «De Gratitudine», dice que sus fuentes son Estrabón, XIV, ya citada, y Heródoto, 3, 139 et seq., pero la versión de éste apenas tiene correspondencias con la de Zabaleta. Las discrepancias entre los textos de Zabaleta y Heródoto —de las cuales hablaremos en el error XXII— ponen en duda la familiaridad de nuestro autor con la obra de Heródoto. En todo caso este error nos parece prueba incontrovertible de que Zabaleta conocía al dedillo la obra de Valerio Máximo.

avisa las obligaciones; pero el que olvida el beneficio nunca le paga. Tan grande milagro es que reviva en su memoria el empeño como levantarse un muerto de la sepultura. Los milagros suceden raras veces. Raras veces agradece el olvidadizo. Tardó Darío, pudiendo, en pagarle el agasajo a Silosonte. Sin duda le olvidó Darío. No es carga tan ligera la obligación de una buena obra que pueda sufrirse mucho tiempo. Quien la tiene en la memoria, la trae sobre el corazón. No la siente en el corazón quien no la trae en la memoria.

Paréceme que me están preguntando a entrambas orejas si fue beneficio dar un capote a quien no tenía necesidad dél, y luego darle de mala gana. A entrambas cosas respondo que sí. Beneficio fue dar el capote que, aunque no le había menester la fortuna del que le recibía, le echaba menos el gusto. Para la vida pide la necesidad; para el gusto, el antojo. Para la vida piden ambos, pues la vida sin gusto casi no es vida.

Lo que ha menester precisamente nuestra humanidad es tan poco que, si se contentara con sólo lo que ha menester, no debiera nada a nadie. Esto se halla muy fácilmente. El gusto la hace necesitada de muchas cosas; a quien dellas le socorre, en obligación le queda. El desnudo no ha menester más que vestido, pero, al que le da buen vestido, le debe más el desnudo. El que es amigo de galas, desnudo está sin ellas. El que le da la gala, le viste. El vicio de unos se hizo necesidad de otros. Hicieron unos estimación de andar bien vestidos; con esto, los que andan mal vestidos, andan sin estimación. Porque le pareció a Darío mejor con aquella capa Silosonte, deseó la capa. Si por esta capa había de parecer mejor a otros Darío, no se puede dudar de que le quedó en deuda a Silosonte, pues la dádiva de la estimación, por pequeña que sea, deja deuda grande.

Resta, ahora, saber cómo el darle el capote de mala gana fue beneficio desta manera. No es la voluntad la que hace el beneficio sino la mano. Ennoblécele la voluntad, pero la mano es el instrumento. Aconséjalo la voluntad, pero si la mano no obedeciera, el consejo importaba poco. El efecto de la buena obra en la mano se coge, no en el cariño. La parte esencial del beneficio es la obra. Donde hay buena obra, hay beneficio. Si todo beneficio se hace deuda, el que le recibió de mano casi forzada es fuerza que tenga por acreedora la mano. El que recibió algo pidiendo, si es honrado al que se lo pide, casi le fuerza.

El negar en los ánimos nobles, si no es acción imposible, es muy dificultosa, es muy penosa. Qúien recibe de aquel a quien pidió, obligado le queda, pues por hacer como noble, hizo lo que no quisiera hacer como hombre. Luego, ¿quedará obligado el que recibió del que le dio de mala gana? Pidióle con los ojos a Silosonte Darío; era Silosonte hombre de vergüenza y obligóle a que le diese lo que le pedía con los ojos, porque fuerza a los liberales, aun el que les pide por señas. Si pudiera haber alguna manera mejor de dar que el dar de buena gana, fuera el dar de mala gana, pues sin gana hizo el mismo efecto en la necesidad o el antojo del extraño, ¿qué hiciera con ella? Hidalguía tiene grande el beneficio hecho sin gusto. Nobleza es no acertar a negar. Generosidad es saberse vencer.

Llegó, en fin, Darío a tener la corona y revivió en su pecho el regalo que le había hecho Silosonte.

No es esta vez sola la que la prosperidad hizo este milagro, pero hácele pocas veces. Algunas veces se han acordado los que llegan a fortuna grande de los agasajos que recibieron en menor fortuna, pero, como 5 los miran desde tan alto, les parecen muy pequeños. Los que son mucho no hacen caso de lo que es poco. Con este engaño y esta costumbre, pagando mal, piensan que agradecen bien. En esta parte se salió Darío del camino ordinario y erró por otro camino. 10 Acordóse del capote que le había dado Silosonte, quiso agradecérselo y diole toda la isla de Samos, de donde era natural. Por huir de un extremo dio en otro.

El agradecimiento es preciso, pero ha de ser medido. 15 Dar algo más de lo recibido es obligación; salir de aquí un poco es galantería; desmandarse mucho es prodigalidad, y la prodigalidad es vicio. ¿Qué tiene qué ver un capote con la isla? ¿Es que se parece el dominio de una pobre alhaja al dominio de los 20 hombres? Dióle Silosonte a Darío una capa en que mandase y dale Darío a Silosonte hombres en que mande. Con desproporciones no hay obra perfecta. La armonía se fabrica de proporciones. Nunca está en razón lo que disuena. Si a quien le daba un 25 capote, daba Darío un estado, ¿qué pensaba dar a quien le ganaba un reino? Si el agradecimiento ha de exceder en tanta cantidad al beneficio, al que hubiere de agradecer un plato de brevas presentado y un ramillete de flores ofrecido no le queda hacienda 30 con que poder vivir de allí adelante. Fácil es de sacar la cuenta. Otras cosas habría recibido Darío de otras manos en el discurso de su vida. No tiene duda. Pues si a cada uno hubiera de agradecer a este respeto, antes, aun siendo poderosísimo rey, le faltaría el poder que la obligación. Con que es evidente o que fue con los otros ingrato o con éste demasiadamente agradecido. Que fue con Silosonte agradecido sobradamente no es dudable, porque la paga se ha de proporcionar con la deuda. 5

Los vicios no han de tener los nombres de las virtudes. Los agradecimientos excesivos no se han de llamar agradecimientos sino vanidades. Lo que dejan caer las manos adormidas en otras manos no se puede llamar dádiva; dejáronlo caer porque no 10 podían apretarlo. Lo que suelta la vanidad en las manos del bienhechor no se puede llamar agradecimiento; tiene las manos adormidas y suéltalo. Los vicios no son loables. Quien alaba este hecho alaba un vicio. 15

ERROR XXI

Estaba una mañana Diógenes Cínico arrimado a una pared en una calle. Pasaba por allí el emperador Alejandro; vióle, apeóse, llegóse a él y díjole con semblante apacible si quería algo. El filósofo contestó casi sin mirarle: «Que no me quitéis el sol.» Celébralo Cicerón con otros muchos.

Discurso

Deben los reyes honrar, favorecer y premiar a los hombres de letras; principalmente a aquellos hombres que se inclinan a unos estudios, de los cuales, aunque necesita siempre, no necesita cada día la República. Estos estudios son la filosofía moral y la historia. A los teólogos, juristas y médicos la necesidad cuo-

---

7 «At vero Diogenes liberius, ut Cynicus, Alexandro roganti, ut diceret, si quid opus esset: *Nunc quidem paullulum,* inquit, *a sole.*» Cicerón, *Tusculanarum Disputationum,* V, XXXII, 92 (Cambridge, 1950). Esta anécdota celebérrima se encuentra también en Diógenes Laercio, *Vitae,* VI, 2, 38; Cicerón, *De officiis,* II, VII; Valerio Máximo, *op. cit.,* IV, 3, 4; Séneca, *De clementia,* I, XIX; San Agustín, *De civitate Dei,* V, XXIV; Gracián, *El criticón,* III, crisi 12.

tidiana de los hombres, por lo menos, los sustenta, la razón los estima y los puestos los engrandecen. El que cuida de su alma, acude al teólogo; el que de su hacienda, al jurista; y el que de su salud, al médico. El médico, el jurista y el teólogo siempre están 5 sustentados, las más veces ricos; y el teólogo y el jurista casi siempre bien colocados. La moral filosofía, como es verdad desnuda, siempre anda desnuda, como la verdad. La historia, como es cuento, no parece que puede servir sino al ocio, y desestímanla los 10 más por baldía. No es mucho que se parezcan en la fortuna las que son tan semejantes en la naturaleza. La filosofía moral procura a razones introducir las virtudes y desterrar los vicios; a ejemplos, la historia. El filósofo se vale de ejemplos, el historiador de 15 sentencias. El historiador y el filósofo van a un mismo fin aunque por diferentes caminos. De ambos es la estimación escasa, la comodidad ninguna.

Los ignorantes son brutos, y tan brutos que no sienten su ignorancia. El rey que tiene ignorantes y 20 viciosos los vasallos puede hacer cuenta que es rey de brutos. Y éste, aun para el más indigno racional, es corto imperio. El rey, que quiere ser rey de hombres, debe honrar mucho a aquellos hombres que con sus estudios, déjenmelo decir así, hacen almas. El 25 bruto no tiene alma racional; el que vive como bruto, parece que no la tiene. Al ignorante y al vicioso transforma en hombre la enseñanza. Alma parece que le dio quien le hizo hombre. Está el ignorante vicioso a media noche jugando su patrimonio; a esas 30 horas está el filósofo moral buscando razones con

6-10 Zabaleta trata los mismos temas en los últimos párrafos del error XXXVII.

que despegar de los corazones este vicio; a esas horas está el historiador escribiendo hazañas que persuaden loables desvelos. A las diez del día está el mozo deshonesto en el lecho cenagoso de la descolorida ramera. A ese mismo tiempo está el historiador escribiendo miserables fines de hombres sensuales y a ese tiempo mismo está el filósofo alabando la castidad y pintándola con tal hermosura, con tales colores, que será muy necio quien no se enamore de ella. En favor de todas las virtudes están a todas horas batallando la filosofía y la historia. Mucha razón será que el rey, que por su oficio es protector de las virtudes, premie y acaricie a los que las defienden, a los que las fomentan. La alabanza y el premio son en la tierra como dos deidades que pasan a los hombres de hombres y casi los introducen en divinos. Quien espolea con alabanzas a los bien aplicados, quien los vivifica con premios, los hace hacer cosas tan grandes que ni pueden ser enseñadas ni aprendidas, que son mayores que la humanidad y mejores que la persuasión.

Llegó el emperador Alejandro a ser tan dueño de todo que casi le faltó qué desear. Vióse sin el bien de la esperanza, como no tenía donde encaminar el deseo. Era señor de todos los hombres; no tenía ya hombres que conquistar y echó por las almas: intentó hacerse dueño dellas a liberalidades y a cariños. La liberalidad da comodidades, el cariño honras. La liberalidad hace deudores, el cariño amantes. Bueno es que deban los vasallos a los reyes; mejor es que los amen. La benignidad en los príncipes es política muy segura. El amor no sabe hacer cosa mala. En haciéndose un rey amar, tiene buenos vasallos, porque vasallos con amor no saben hacer cosa que no sea buena. El cielo es dechado de las monarquías: en el cielo gobierna el amor. El reino a quien acá el amor gobierna, provincia es del cielo.

Liberal, pues, y benigno, o ya por condición o por industria, llegó Alejandro a Diógenes, estando tomando el sol. Saludóle agradable y preguntóle, generoso, si quería algo. El filósofo, entonces, muy entero, casi sin mirarle a la cara, le respondió que lo que quería era que no le quitase el sol. ¡Grande facultad debe de ser la discreción, pues no la acaudalan los estudios! El cielo la da, nadie la enseña. Con cuanto había estudiado, Diógenes no supo escaparse de majadero. No quiero que fuese rey, y rey suyo, el que le acariciaba y socorría sino un hombre infinitamente inferior, ¿era buen modo de responderle una sequedad? ¿Qué le quitaba en quitarle el sol? Un dolor de cabeza. Y doy que el sol le fuese allí de vigor y de abrigo, ¿qué importaba perder por causa tan grande el vigor y el abrigo? Quien hacía tanto caso de una pequeña comodidad, ¿cómo quería hacer creer que no estimaba las comodidades? Para dar a entender que no se le daba nada de nada, hizo mucha estimación de lo que nada valía. La avaricia es idolatría. Tan malo es idolatrar en un ídolo de barro como en uno de oro. Tan avariento es el que adora dos reales como el que adora dos millones. Tanta avaricia hay en estimar desatinadamente un poco de sol como en desear ansiadamente un imperio.

Y demos caso que quisiese decir este filósofo que él se contentaba con lo que daba la naturaleza, que no se lo quitasen. ¿Por ventura no da también la naturaleza la reverencia real? Naturalmente veneramos a Dios, naturalmente veneramos al rey. Imágenes de Dios son todos los hombres, pero más que todos los hombres es el rey su imagen. A Dios le retratan los otros hombres la esencia, el rey la esencia y la dignidad. En los otros hombres se retrata Dios 5 como Dios, en el rey como Señor. Semejanza natural tiene con la reverencia que a Dios se le da, la reverencia que al rey se le debe. Casi la misma diferencia hace el rey entre los otros hombres que hizo el hombre en el estado de la inocencia entre los brutos. 10 Por su instinto natural le veneraban todos, por natural impulso veneran al rey los vasallos. Habiendo, pues, Diógenes de tomar de la naturaleza o el sol que le daba o el respeto a que le impelía, mejor era dejar el sol que el respeto, porque el sol no era más 15 que conveniencia excusable y el respeto obligación precisa.

Si el rey que cuida más de sí que de sus vasallos es mal rey, el vasallo que atiende menos al rey que a sí mismo, ¿qué vasallo será? Si Alejandro no 20 hubiera hecho caso de Diógenes, no cumplía con su obligación. ¿Cómo cumplía con su obligación Diógenes no haciendo caso de Alejandro? Era Diógenes un hombre estudioso. Era Alejandro rey del mundo. No hacía Alejandro como rey si no agasajara a un 25 hombre de letras. No hizo como hombre de letras Diógenes en no reverenciar mucho a su rey.

2 Sobre el tema del *rex imago dei* véase Wilhelm Berges, *Die Furstenspiegel des hohen und späten Mittelalters* (Stuttgart, 1938), Unveranderter Nachdruck, 1952, págs. 19-27.

ERROR XXII

Semíramis, reina de los asirios, mandó hacer un sepulcro costosísimo sobre una de las puertas más frecuentadas de Babilonia. Vióle acabado y dijo que era su gusto que, cuando le faltase la vida, fuese allí 5
puesto su cadáver. Escribe esta acción Heródoto como de corazón desengañado, como de ánimo piadoso, y síguele en la opinión no pequeño número de hombres leídos.

Discurso 10

Piensan los que alaban este hecho de Semíramis que fue su intención acordar al mundo que aun una reina tan grande había muerto. Pues no fue sino

9 Según Palau y Dulcet, *Manual del librero*, 2.ª ed. (Barcelona, 1953), no se publicaron en España ni ediciones latinas ni traducciones al español de la obra de Heródoto. Pero como prueba de que conocían al historiador griego, véase Arnold Reichenberger, «Herodotus in Spain», en *Romance Philology*, XIX (1965), 235-249, que discute la contribución importantísima de María Rosa Lida de Malkiel en el prólogo a su traducción española de Heródoto, Clásicos Jackson, XXII (Buenos Aires, 1949). Al considerar ella la fama de Heródoto en España (LXVII-LXXI), señala que frecuentemente le conocían indirectamente por otras fuentes, *exempli gratia*, Cicerón, Plinio, Valerio Máximo, Aulo Gelio, *et. al.*, aunque existía la traducción latina hecha por Lorenzo Valla, publicada en 1474.—«Sobre

acordarles a todos que había vivido. Tanto vale inferir de sus costumbres que cuidaban de las ajenas como pensar que los cuervos cuidan de la salud de los hombres.

5 Era rematadamente perdida y quieren estos ponderadores que pusiese cuidado en el bien de los otros. El propio amor es el mayor de los amores, si es que hay más amor que el propio. Con todo este amor se entregaba a los vicios. Sin todo este amor, ¿cómo 10 había de cuidar de las virtudes? El acordar la muerte

---

la puerta de la ciudad por la que pasaba más gente, mandó (Nitocris) construir su propia sepultura suspendida en los altos de las mismas jambas, e hizo grabar en la tumba una inscripción que decía así: 'Si alguno de los reyes de Babilonia que vengan después de mí andare escaso de dinero, abra mi sepultura y tome de ella todo el dinero que quiera. Pero no la abra más que en caso de necesidad, pues no será mejor para él.' Esta tumba no se tocó hasta que la corona recayó en Darío. Pero a Darío le pareció absurdo no utilizar aquella puerta y, ya que allí había dinero y la misma inscripción le convidaba, no tomarlo. Por cierto, de esta puerta no se servía para no tener, al franquearla, el muerto sobre la cabeza. Abrió, pues, el sepulcro y no encontró dinero, sino el cadáver y una inscripción que decía así: 'Si no fueses insaciable de dinero y mezquino, no abrirías las tumbas de los muertos'.» *Historias,* I, 187, trad. Jaime Berenguer Amenós (Barcelona, 1960: Colección hispánica de autores griegos y latinos).— La confusión de nombres (que ocurre también en Plutarco, *Moralia,* 173b) y las otras discrepancias indican que Zabaleta no había tomado la anécdota directamente de Heródoto, sino de otras fuentes. Ravisio Textor señala la lujuria de Semíramis y le culpa de haber matado a su hijo (datos presentes en el comentario de Zabaleta): «Semiramis regandi libidine tota pruriens petisse fertur à marito Nino, ut quinque dies tantum imperaret, & scoeptro vteretur. Quod quum exorasset, satellitibus iussit Ninum vt interficerent. Hoc itaque modo regnû cõsecuta, Assyriis tantis per dominata est, dũ à Nino iuniore filio interfecta fit, quòd si cõcubitũ rogasset. Eadem muros Babilonis conditos auxit & reparauit.» *Officinae*, pág. 152.— Diodoro, que también le atribuye la construcción de la tumba, no deja de hacer hincapié en su disolución sexual: «Hoc in loco omni delitiarum genere perfruens, non parum temporis absumsit: & quia verebatur, ne quando regnum ammitteret, à legitimis sibi nuptiis temperauit: interim militum elegantissimos ad rem secum habendam delegit: quotquot tamen cum ea coiuerant, è medio sustulit.» *Bibliotheca historicae, op. cit.,* II, 13, 3-4.

a los otros es para que los otros enmienden la vida. A quien de su vida no se le daba nada, ¿qué cuidado le había de dar vida que no era suya? Hirvió en vicios la vida de Semíramis. La causa de su muerte fue un vicio. De su mismo hijo enamorada, le de- 5 claró ciega su antojo. Él, avergonzado de tener madre de tan detestables costumbres, desnaturalizándose de hijo, como juez le dio la muerte. ¿Cómo se persuade nadie a que quiso ser autora de virtudes en el se- pulcro la que hizo de su palacio escuela de maldades? 10 Ninguno crea que a los malos se les da nada de que los otros no sean buenos, porque quien tiene pereza de buscar para sí las virtudes no hará diligencias para que los otros las hallen.

El ordinario deseo de los malos es que haya mu- 15 chos malos, o por tener menos que los acusen o por tener más con quien disculparse. Lo que hacen muchos parece milagro que no lo hagan todos; con esto no se hará muy extraño que lo haga alguno.

Yo confieso que algunos malos han aconsejado 20 cosas buenas, pero no han mirado a buen fin acon- sejándolas. La vanidad o la conveniencia ha hecho muchas veces hablar bien al que obra mal. Semí- ramis, de mandar hacer su sepulcro sobre la puerta de Babilonia, no pretendía conveniencia; vanidad 25 pretendía. No vanidad de buena sino de rara. Quiso que se acordasen de ella, no como debía ser, sino como había sido. Los malos no atienden en sus obras a servir de ejemplo sino de admiración. ¡Acuérdense de ellos, y más que los acusen! Bien conoció Erostrato 30

30 Erostrato: Efesio, quien, para inmortalizarse, quemó el templo de Artemisa. Véase: Estrabón, XIV, i, 22; Cicerón, *De natura deodorum,* II, xxvii, 69; y Valerius Maximus, VII, 14, ext. 5, «De cupiditate gloriae.»

que no era su hazaña para imitada sino para referida; pero sabe la memoria a vida y contentóse con quedar en la memoria. Si Mucio Cévola intentara dejar un modelo para la constancia, no se quemara
5 el brazo, porque la desesperación es flaqueza. Quiso sólo hacer fama, parecióle que bastaba la singularidad y metió el brazo en el brasero. Atendió Semíramis a vivir los siglos futuros, no como buena sino como ella. La que viva estaba bien hallada
10 con los vicios, no había de atender a las virtudes muerta.

Sentía mucho esta mujer quedar de adorada en nada y procuró dar estimación a la nada de sus cenizas. El representante que se desnuda de rey no
15 siente quedar en representante. Cree que aquélla es ficción fácil de deshacer y no siente que se deshaga. Los reyes tienen creído que su adoración no está sobre barro y sienten que se les deshaga la adoración. Pluguiera a Dios creyeran que son representantes
20 para que conocieran que, en acabándose su papel, habían de quedar en el polvo que le empezaron.

Porfiaba Semíramis con el cielo y quería que no le deshiciese la estimación cuando le deshacía la vida, que para ella era otra vida la estimación. Sabía que
25 a los vivos les levantan testimonios hacia lo malo y a los muertos hacia lo bueno. No hay vivo cabal, no hay muerto defectuoso. Poniendo a los ojos del mundo su cadáver, solicitó alabanzas, y a las alabanzas póstumas las llaman todos vida. Los malos va-
30 nagloriosos se engañan: la fama no ha resucitado a

---

3 Mucio Cévola: Romano legendario por su indiferencia ante el dolor cuando metieron su mano derecha en el fuego como castigo a un atentado de regicidio.

nadie. Cuantos elogios puede pronunciar el mundo no harán mover un brazo a un muerto, del sueño en que está no le despertarán cuantas voces puede dar el aplauso de la tierra.

Para quien es vida la muerte es para los virtuosos. Sin corazón no puede haber vida. Los que hicieron obras amables se quedan en los corazones, con los corazones ajenos viven. Los que hicieron obras de mal ejemplo, aunque de mucho ruido, en los libros se quedan solamente, y en los libros están tan abominables como en la sepultura. Como no están en los corazones no viven. Con todas estas tachas aman la posteridad los malos soberbios. Ésta es la postrera locura de la ambición, ésta es su mayor locura. Estimación desea, aun para cuando no hay sobre qué caiga, el ambicioso. Del polvo en que queda quiere hacer, ambicioso, otro hombre. Solo Dios sabe hacer hombres de tierra, y luego las virtudes, porque toman la virtud de Dios. Querer armar una vida segunda de gusanos y vicios es intentar hacer vida de lo mismo que mata. Dios al barro primero le infundió un alma racional para hacer el hombre, un alma digo, con un entendimiento salpicado de luces de divino, con una voluntad libre y doctrinada, con una memoria capaz de toda la prudencia. De cosas tan excelentes le hizo Dios al hombre la vida. De acciones excelentes ha de hacer su segunda vida el hombre. Con vicios y un cadáver no se hace posteridad viva. Con cenizas y virtudes se hace un segundo hombre que vive más que el primero. ¿En qué se parece una cosa tan desengañada como el alma a una cosa tan engañada como los vicios? En nada se parece. Si no puede estar sin alma la vida, ¿cómo han de hacer vida los vicios que son totalmente opuestos al alma?

La vanagloria intenta con disparates la posteridad. Arma de piedras un sepulcro y conviértese la posteridad en piedra. Tan callada, tan quieta, tan inmóvil se está la fama del que se quiso revivir con un sepulcro como el sepulcro mismo. Menos veces se ven a él los ojos que tropiezan los ojos en él. Mirar en los hombres es costumbre, tropezar para todos es enfado. Los que lo miraron, más lo hicieron por mirar que porque había qué ver; los que tropezaron en él con la vida se lastimaron el gusto con la dureza de la muerte; hallaron la persona en el epitafio y, en apartándose del epitafio, olvidaron la persona. La virtud hace eterno al que muere. La vanidad hace vana la vida del que no vive. En lo que está hueco no hay nada: en la vida que hace la vanidad no hay vida. Quiso Semíramis hacerse con los vicios eterna y sólo quedó eterno el mal olor de sus vicios.

ERROR XXIII

Platón, filósofo de singular ingenio, conoció que iba errada la gentilidad en adorar más que a un dios, pero, por huir del odio que causan las novedades, confesaba y veneraba en lo público todos los dioses que 5 *ella veneraba y confesaba ciega. La razón que daba a sus confidentes para esto era que los sabios no cabían en el mundo si no erraban como los otros. Cuéntalo San Teodoreto, celébranlo muchos y a mí me hace horror pensarlo.* 10

Discurso

Tienen en el mundo por discreción grande vivir al paladar del tiempo, seguir el gusto de los poderosos y errar con los que yerran. La desemejanza,

---

9 «'...à cause de l'opinion générale, j'emploie le pluriel pour parler de Dieu, me tenant en garde contre les faux préjugés de mes concitoyens; car quand j'écris sérieusement et quand j'ai confiance dans le porteur et le destinataire de ma lettre, je nomme Dieu au singulier et je le mets au commencement de mon discours.' ... Par contre, lui qui a parlé ici de façon si exacte de Dieu, en d'autres passages, soit par crainte de la foule, soit par réelle ignorance, fait souvent mention de dieux nombreux et cause un immense dommage à ses lecteurs.» Theodoret de Cyr, *Thérapeutique des Maladies Helléniques*, tr. Pierre Canivet, S. J. (Paris, 1958), II, 41-42.

cuando no haga enemigos, hace enfadosos; por esto piensan que han de hacer lo que ven hacer los que quieren acaudalar amistades y no dar fastidio. A esto llaman política, que viene a ser arte de componer
5 la fortuna. ¡Ah, qué trabajo cuesta el ser malos, pues es menester aprender más reglas para errar con utilidad que para acertar lo bueno más dificultoso! No yerran con poco trabajo los políticos: tienen una cosa en el pecho y otra en la lengua. Halagan lo
10 que aborrecen y aplauden lo que reprueban. Tienen dulcísima la boca y el corazón lleno de acíbar. Por de dentro son fiscales, por de fuera son compañeros. Son grandes maestros de enseñar lo que ven que los otros gustan de aprender y rudísimos para aprender
15 a enseñar lo que es razón que aprendan los otros. Cuando andan con áspides, muerden; cuando andan con palomas, arrullan, aunque sean por de dentro palomas con los áspides y áspides con las palomas. Ande acomodado el hombre exterior y el interior
20 más que se lo lleve el diablo. A esto llaman cortesanía discreta y ligereza amable. Los políticos sólo atienden a su negocio, los demás sálvense como pudieren. Tengan ellos paz y comodidades, y más que se despeñen los otros. No tienen al prójimo por
25 parte suya sino por cosa muy aparte. Allá se lo haya el bien del prójimo, como el prójimo les haga bien a ellos.

Conoció Platón que iba errada la gentilidad en adorar tantos dioses. Empezó a conocer que no podía
30 ser más de uno el verdadero. Temió el riesgo de diferenciarse de los otros en la religión y, escondiendo la verdad en lo más oscuro del pecho, tenía como los demás la confesión pública en los labios y en las manos el sacrificio.

Los vicios ajenos, por pequeños que sean, no sólo no se han de confirmar con la imitación, aprobar con las palabras, pero ni acariciar con el semblante. Esto es cuando son muy pequeños, ¿qué será cuando son muy grandes? A quien no le toca reprehenderlos por su oficio, le toca acusarlos con sus costumbres. No habla poco contra el que obra mal, el que obra bien. Mucho menos habla el que habla bien y obra mal. La prudencia a los virtuosos los hace callados, mas los deja predicadores. Si no atruenan con el grito, confunden con el ejemplo. Pero en llegando el error a desmandarse tanto que se atreva a la verdad de la religión, la imitación es delito enorme, la urbanidad culpa muy grave, el silencio cobardía tolerada y flaqueza sin castigo.

Por luces de la luz divina, que asisten incesablemente a la naturaleza humana, divisan todos los mortales que hay un Dios todopoderoso; no son menester razones para hacer creer esto: la razón de nuestra naturaleza basta. Los primeros idólatras fueron unos hombres que erraron porque quisieron errar. El que a la luz del sol cierra los ojos, él mismo se hace la oscuridad; a pesar de la luz yerra. Dios está más alto que el cielo, no es penetrable; pero desde aquellos soberanos abismos envía su luz para que le conozcamos. El que no le conoce, es que a la luz cierra los ojos y anda como sin ojos en medio de la luz. Los que supieren los principios de la idolatría verán como cerraron por su gusto los ojos los que la dieron principio. El amor paternal hizo dioses: ¡miren si hacían dioses a ciegas! Moríasele a un hombre poderoso un hijo y él, por quedarse con su presencia, mandaba hacer una estatua con su figura. Por hacer lisonja al padre le ofrecían a la estatua sacrificios los de su familia. Aquella familia con el tiempo se dilataba en muchas; todas tenían costumbre de venerar aquella efigie y, a poco tiempo, adquiría autoridad pública de imagen divina. El primero que dio privilegio a las estatuas de amparar a los reos fue Niño, rey de Nínive. Murió su padre y erigióle estatua. Intentóle hacer dios por dar a entender que descendía de dioses. ¡Qué antigua es la vanidad en el linaje! Mandó que fuese libre el delincuente que se amparase de ella. Fueron gozando los hombres de este favor y pagaron el favor en adoraciones. No repararon en que fue quien les inventó en este socorro la vanidad humana, y ciegos con la conveniencia, veneraron allí piedad divina. El otro principio de la idolatría fue la soberbia de los príncipes. ¡Bien torpes tiene los ojos la soberbia! Acostumbráronse los príncipes desvanecidos a la adoración y sentían el perderla más que perder la vida. Hicieron estatuas con sus semblantes para dejarlas por herederas de su adoración. Nabucodonosor mandó a Holofernes, capitán general de sus armas, que destruyese todas las estatuas de los dioses por quedar él solo adorado en su estatua. ¡Qué de dioses ha hecho la lisonja! Quiso la codicia de los menores servirse de la grandeza de los mayores y engañólos con el culto. Decir el pobre al rico que era dios y, por parecer dios, favorecía el rico al pobre. Íbanse enredando simples, en esta cautelosa piedad, los siglos que sucedían. El amor de la patria hizo también dioses. Consagraban en estatuas a los que habían servido a la patria insignemente; con esto animaban a otros para que

6 Nínive: pueblo en Asiria fundado hacia 2000 a. c.
20 Véase: *La sagrada biblia: Judit* 3, 8.

muriesen en su servicio. Sagaz el amor del suelo nativo, hizo adorar tierra por adquirir más tierra. Llegó a tanto el error de los gentiles que, para hacer un dios, empezaban una estatua en aquellas horas y tiempos que los matemáticos dicen que influyen 5 benignas las estrellas. En acabándola, la adoraban como a deidad, creyendo que en la virtud de la hora de su principio había derramado en ella divinidad el cielo. Bien a ciegas anduvieron los que creyeron que hacían dioses con estos principios y bien a ciegas 10 andaban los que los tenían por dioses.

Daban en el alma de Platón aquellos rayos de la luz común que infunde Dios para el conocimiento de la verdad en las almas. Tenía fuera de esto un ingenio tan divino que sobresalía entre todos los 15 hombres. Sólo como hombre podía y debía conocer al Dios verdadero; y como hombre Platón podía y debía conocerle más que todos los de su siglo. Están los entendidos muy obligados a no caer en los errores, porque ven los errores mejor que los otros. Muy 20 culpable sería en los que tienen la vista muy limpia y muy clara no ver desde lejos las espinas, no conocer desde a fuera los despeñaderos. Muy culpable fue en Platón, habiéndole Dios dado un entendimiento más claro que la luz del día, irse a las espinas 25 mirándolas y entrarse por los peligros conociéndoles. Por no apartarse de las comodidades se lastimaba, se destruía en adoraciones erradas. ¿De qué le servía aquel entendimiento? Un torpe cabrero, que guarda unos animales que importan muy poco, cuida más 30 del provecho que del gusto de aquellos animales que guarda. Pues, ¿por qué un entendimiento desengañado no ha de cuidar más del provecho del hombre que le encargan que del gusto del hombre? ¡Oh culpa tremenda! Pero, ¿por qué me espanto de que Platón se apartase de su obligación si miraba por sus conveniencias? En las descomodidades, en las tinieblas de la noche se ven desde la tierra las cosas del cielo más claramente. En dando la luz y el calor del día en la tierra se tapan las cosas del cielo. Los que no tienen miedo a los horrores y a los desvelos de la noche ven la verdad del cielo claramente. Los que se guardan del sereno y de la oscuridad, aguardando la luz de la estimación humana, buscando el abrigo de las comodidades, se huelgan de que se les esconda el cielo, como les quede un poco de aire claro, y pierden por un poco de aire el cielo.

Era Platón maestro por oficio en la Academia de Atenas; debió saber más que todos y debió enseñar a todos lo que sabía. El hombre, donde quiera que esté, es mejor que todos los animales. El maestro, donde quiera que esté, ha de ser el mejor de los que con él están. El hombre, que vive entre otros animales, no cumple con la obligación de hombre si no les enseña todo lo que cabe en su instinto. El maestro no cumple con la obligación de maestro si no enseña a los otros hombres toda la verdad de que son capaces. Debió Platón descubrir a los atenienses el error de la multitud de los dioses que ya alcanzaba. Debió enseñarles la verdad de la única adoración del Dios verdadero que ya descubría, que aunque no la hubiese penetrado del todo, meditándola para enseñarla, la alcanzaría. En todas las almas racionales hay facultad suficiente para descubrir la verdad. Trabajen las almas que muy a la mano la tienen. Ya que este hombre no tuvo ánimo para declararse con aquellos idólatras, tuvo por lo menos obligación de irse aparte, donde no le fuese preciso errar como ellos.

Por no perder las comodidades que tenía, no se atrevió a irse y, por no hacerse malquisto, no se atrevió a diferenciarse. Por la falsa estimación del mundo, dejó el camino de la verdad soberana. A esto llaman algunos prudencia grande, política discreta. Política es que le llevó al infierno. A muchos ha llevado allá la política.

ERROR XXIV

A Crisipo, hombre cuyo entendimiento parecía que podía ser de provecho grande, le preguntaron que por qué no quería entrar en los oficios del gobierno de la República, y él dijo: «Porque si lo hago mal, desagrado a los dioses, y si lo hago bien, desagrado a los hombres.» Encarécelo sumamente Juan Estobeo.

Discurso

Este hombre hizo bien en no tomar oficios de gobierno en la República y dio mala razón para no tomarlo. Hizo bien, porque era cobarde, y el juez ha de ser animoso. El que no tiene ánimo para desagradar a uno, no hará justicia a otro. El gobernador que no tiene fortaleza para escuchar el susurro de los malos, es malo para gobernador. El fuego por su naturaleza calienta, la nieve por su naturaleza enfría. El fuego calienta al que le teme y abrasa

---

7 «Chrysippus rogatus cur non administraret rempub [*sic*], dixit: Quia si malè rexerit, dijs displicebit: sin bene, civibus.» *Sententiae,* pág. 314, sermón «De potentibus in civitate».

12 Tanto aquí como en otro lugar (*exempli gratia,* error VII) Zabaleta no distingue entre los deberes del juez y los de otros oficiales públicos.

al que le manosea. La nieve entorpece las manos en que para y se deshace entre las manos. El buen juez por su naturaleza ha de ser brioso y activo, traerá viva y atenta la República; mas, si por su naturaleza, es frío y cobarde, enfriará en la República el calor de las virtudes. Quien se atreve al gobernador, ha de hacer justicia sin miedo y se ha de hacer venerar con entereza. Quien por su naturaleza es frío, tendrá las leyes sin calor y hará su estimación desmayada.

La respuesta que dio fue mala porque dijo que era fuerza que el juez desagradase a los dioses o a los hombres. Dios partió con los jueces su nombre y su dignidad. Dioses son de la tierra los jueces. A Dios no se le da nada de desagradar a los malos, ¿por qué a los jueces se les ha de dar nada? El sol abrasa por el estío; hanlo menester los campos y no se le da nada de enfadar a los pueblos. Acuda el juez a las virtudes, y más que los vicios se enfaden. Las leyes se hicieron para los malos. Todas las repúblicas tienen bastantes leyes; de lo que tienen necesidad es de quien las ejecute. Si no hay quien ejecute las leyes por no parecer mal a los malos, se trastornará todo el gobierno del mundo. Si de parecer bien a Dios los jueces, resulta parecer mal a los hombres, pregunto yo: ¿tan mal premio es de parecer mal a los hombres, parecer bien a Dios? No mide bien quien no encuentra mayor este precio que aquel trabajo. Demás de que no es fuerza que el juez bueno sea aborrecible a los hombres. Sea él prudente, que él será amable. El juez que lo quiere enmendar todo de repente y de una vez, no hace nada y hace enfado. El que anda siempre sobre las culpas, tanto trabaja en ellas que le es fuerza descansar sobre ellas. El que limpia el trigo de las hierbas que le vician, si le quiere limpiar todo de una vez, se cansa tanto que cae de cansado sobre las hierbas y el trigo; al trigo le quiebra las cañas y a las hierbas las deja seguras. Seguros están los vicios del que los quiere arrancar todos. Cae sobre ellos de puro cansado, dormido, y es largo y profundo el sueño que ocasiona el cansancio. Fue a limpiar las virtudes de las culpas que las desmedraban; y con el sueño que le causó el cansancio de su imprudencia, se dejó enteras las culpas tras de que andaba y ajó las virtudes que favorecía. El gobernador discreto conténtese con enmendar algo, que con que los que le siguen haga cada uno otro poco, harán entre algunos mucho. Mejor medicina es la que resuelve que la que rompe; mejor gobierno es el que remedia que el que castiga. El juez, lo menos que pudiere, corte y remedie cuanto pudiere. El viento apacible hace al mar más obediente; el viento demasiadamente esforzado le irrita y le desordena. Más apriesa llevaría la máquina de un navío el viento muy brioso, pero no puede sufrir el mar tan absoluto imperio y, alborotado, obliga al navío o a que se pierda o a que camine con muy poca vela o ninguna; con esto, o no llega al puerto o llega más tarde. Con viento apacible echa más vela el bajel, corre más y corre menos peligro. El gobernador que con mucha fuerza quiere introducir en el pueblo las buenas costumbres, levanta tempestad en el pueblo. Con esto, las buenas costumbres o se pierden o se maltratan, de modo que llegan tarde y de poco provecho al fin a que se encaminaban. Andarse siempre tras el gusto de los otros es de cocineros; andarse siempre tras la salud, de médicos imprudentes. El buen gobernador no ha de andar siempre antojo de los súbditos, porque hará de leyes guisados y no remedios, ni se ha de olvidar tanto del gusto común que esté siempre con el remedio en la mano. Algún alivio se le ha de dar al enfermo, algo se le ha de dejar hacer que no sea 5 medicina, porque con esto le engañan para que no aborrezca lo que le ordenan saludable. No sea todo ley lo que se hace en el pueblo; permítasele algún descuido para que no aborrezca las leyes.

Yo confieso que los jueces están más cerca de 10 aborrecidos que de amados, porque siempre, en el pueblo que gobiernan, es mayor el número de los malos que de los buenos, y los malos nunca le cobran amor al que los rige rectamente. A costa, empero, de mucho artificio se puede hacer un juez amable. Para 15 nada es menester tanto hombre como para gobernar hombres. No está bien examinado de grande el que no ha gobernado. El vaso en que no ha habido licor alguno no se sabe si está quebrado o entero. El hombre que no ha tenido oficio público no se puede saber 20 si es hombre grande. Sea el gobernador el que debe, que él será bienquisto.

Crisipo, sin duda, era tímido y habló más con su confusión que con su razón. O habló con la condición de los más, que es vituperar, como que reprehenden. 25 Quiso decir que los jueces que había o eran tan ásperos, que no cabían en el mundo, o tan malos, que no entraban en el cielo. Con ambas cosas los hacía aborrecibles. Cierto que, ya que las leyes no pueden enmendar las calumnias de los estados, debiera la 30 razón enmendarlas; y digo que la razón, porque son los hombres de razón los que ordinariamente caen en esta culpa. A título de enmendadores o políticos andan malquistando los oficios públicos con el pueblo. El vulgo lee en los libros u oye en las conversaciones que los ministros del gobierno público son ásperos, terribles, crueles y sangrientos. Con esto no ha menester señas mayores para tener a uno por fiera que las señas que trae de ministro. El vulgo no sabe descubrir una verdad sino seguir una opinión; vase donde le llevan y no donde había de irse. Con esta aprehensión, si ve que ahorcan a uno por homicida, piensa que el juez que le sentenció es el delincuente y el inocente el ahorcado. Si ve llevar preso a uno por ladrón famoso, la ojeriza es con los ministros que le llevan y la lástima con el reo. Si a alguno que ha comprado alguna cosa llegan los oficiales de la justicia a repesársela o remedírsela para hacer que le restituyan lo que le han hurtado y castigar al que hurta, se enfurece como si le hicieran un grande agravio y jura falso en favor del que le hurtó y se enoja con quien quiere hacer que le den cabal lo que le costó su dinero. A tanto llega la aprehensión del pueblo de que jueces y ministros son enemigos comunes que los mendigos, que piden limosna, para obligar a que se la den, dicen en voz alta a los que encuentran que los socorran, así los libre Dios de poder de justicia. ¡Gentil deprecación! Vulgo ignorante, esa rogativa es maldición para el mundo, porque hervirá en facinerosos. Nunca son tan dichosos los malos como cuando están en poder de la justicia, porque allí los obligan a que sean buenos y nadie que no es bueno es dichoso. Si ve la plebe a un juez asistido y venerado de los hombres,

7 Sobre el desprecio del vulgo véase: Otis H. Green, «On the Attitude toward the *Vulgo* in the Spanish *Siglo de Oro*», en *Studies in the Renaissance*, IV (1957), 190-200.

le tiene por ambicioso, por temporal y por aprovechado. Gente bárbara, ¿qué hacen los hombres en reverenciar y asistir al que está mirando por todos? Al caballo Bucéfalo, cuando estaba viejo, le traían en hombros de otros caballos hasta el día de la batalla. Pues si a un caballo, porque era bueno para las lides le llevaban otros caballos en los hombros, ¿qué mucho será que lleven, como en los hombros, los hombres hasta el tribunal, al que cargado de años va a lidiar con la sinrazón por los hombres? ¿Qué mucho es que la República enriquezca al que es padre de la República? ¿Con qué pagará el que tiene el pleito al mayorazgo, que a las once de la noche, cuando él está contando fábulas a su brasero, esté el juez rompiéndose las sienes por hallarle el verdadero sentido a la cláusula de los llamamientos? Por la vigilancia de los jueces no es menester para cobrar del tramposo pendencia sino ejecución. La paz, en materia que tanto enoja, mucho vale. ¿Qué mucho hace en amar, estimar y reverenciar a los gobernadores el que, en virtud de su cuidado, halla las noches seguras? A los ladrones la luz del día los maniata; el miedo de los jueces los maniata de noche. Terrible cosa es que, porque se les antoje decir o escribir sátiras a los que hablan o escriben moralidades o políticas, haya de padecer un hombre tan sagrado como el de la justicia y que unos hombres tan beneméritos de la República, como son sus ministros, hayan de ser con horror, hayan de ser con mala voluntad mirados. Diránme los que hablan en esto que ellos sólo tiran a los malos gobernadores.

---

4 Bucéfalo: caballo predilecto de Alejandro Magno quien fundó una ciudad en el lugar donde murió Bucéfalo.

Será así, pero, ¿por qué no dicen de camino que hay gobernadores buenos para que no piense el vulgo que hablan de todos? En cuanto yo he leído, que no es muy poco, he visto innumerables reprehensio-
5 nes para los malos jueces y para los buenos pocas o ningunas alabanzas. Pues tan necesario es alabar las virtudes como vituperar los vicios. Hablen y escriban contra los malos en buena hora, pero distínganlos de los buenos para que no parezcan todos
10 malos. Afirmo con toda verdad que deseo con grande ansia que conozca el mundo lo que debe amar, estimar y reverenciar a los que le gobiernan. Y es Dios testigo que esto que escribo aquí en esta materia es sólo sentimiento de mi corazón y no atención de
15 mi conveniencia, porque ni tengo pleitos ni pretensiones. Muchos me conocen, todos lo saben.

Crisipo, en fin, erró en decir que no podían los jueces agradar al cielo y a la tierra, porque pueden agradar al cielo con la intención y a los hombres con la prudencia. Erró también en malquistar los jueces con el mundo, o por ásperos o por blandos, porque fue apartar al mundo del cariño de los jueces.

---

2 *exempli gratia.* «Líbrete Dios de juez con leyes de encaje y escribano enemigo, y de cualquier dellos cohechado.» Mateo Alemán, *Guzmán de Alfarache*, I, 67 (Clásicos Castellanos, Madrid, 1926), y *Don Quijote*, I, XXII, «Aventura de los galeotes».

13 Se sabe (*DFT*, pág. 2) que a Zabaleta le fue necesario sostener dos pleitos para ganar su mayorazgo. Por lo tanto, no era tan desinteresado como hacían creer estas palabras.

ERROR XXV

Alejandro Severo, el día que entró triunfando en Roma, puso en lo más eminente del carro una tarjeta donde iban, al lado siniestro, pintadas tres campanillas y, al otro, un león, desenvainadas con horror las garras y abierta formidablemente la boca: jeroglífico de que las prosperidades no son más que ruido y tormento, para dar a entender que aquélla que él iba gozando no era más que tormento y ruido. Celébralo increíblemente Sambuco.

Discurso

Muchos ingratos hacen las estrellas y es porque hacen muchos beneficios; no es nuevo en los bene-

---

10 Además del ya citado estudio de Karl-Ludwig Selig sobre la literatura emblemática en España (pág. 9), puede consultarse Bállant Nagy, «Der Weltherähmte Historicus Johannes Sambucus (1531-1584) als Arzt», en *Sudhoff's Archiv für Geschichte des Medezin*, XXIII (1931), 150-174. Se encuentra una lista de las obras de Sambuco en Karoly Szabó, *Régi magyar Könyvtár*, Tud académia Könyvkiado hivatala (Budapest, 1897-98), volumen III, parte 2.ª 845-846. El emblema, «Memor utriusque fortunae», aparece tal como Zabaleta lo describe en: Ioan Sambucus, *Emblemata et aliquot nummi antiqui operis*, quarta editio (Antverpiae, 1584), págs. 9-10.

ficios hacer ingratos. Que dellos llegaron a tener más
de lo que acertaron a desear y porque hallan algo
menos de lo que se les antoja, piensan que es trabajo
la dicha y hablan de la dicha como si fuera trabajo.
5 Yo no veo decir mal de las prosperidades sino a los
dichosos, y no debe de ser tanto porque ellas son
malas como porque ellos son mal contentadizos. Sucedió en un mayorazgo rico a un primo tercero, por
muerte de seis o ocho, un caballero casi mendigo;
10 y, porque un criado le quebró un vidrio de dos reales,
dice que no hay tan desdichada cosa como tener
criados, y exclama diciendo que es mejor partido
hacer con los codos las cosas que mandárselas. Quería
éste, sin duda, que los que sirven fueran de tal na-
15 turaleza que no erraran y, porque yerran por su
naturaleza, le parece que no hizo por él la suerte
nada en darle quien le sirviese. La mano, cuando
la cierran en forma de puño, está humilde y encogida,
pero cuando la extienden, le parecen unos dedos
20 muy largos y otros muy cortos. Desaviénese con su
estrella, y en lo que es comodidad y hermosura, hace
melindre y halla reparo.

A los que tiene encogidos la pobreza y el abatimiento, cualquier alivio, por pequeño que sea, les
25 parece comodidad grande, pero en extendiéndolos
algún suceso feliz, se enfadan con las comodidades
y, porque no son como ellos habían imaginado que
eran, dicen enfadados que son penas. El que ayer
dormía en el suelo, si tuvo dicha de subir a una
30 cama, se amohína de que se le resbale la ropa. Raro
es el dichoso que no parezca indigno del bien que
él tiene.

Dióle el cielo a Alejandro Severo todos los requisitos necesarios para conseguir la gloria de entrar triunfando en Roma, y él pone en lo más alto de su carro un libelo infamatorio contra su dicha. Con un león y unas campanillas, la llama ruido y tormento. Si era para persuadir a los otros la poca sustancia de un triunfo, allí no triunfaba nadie sino 5 él; guardárase el desengaño para sí en su pecho, que no es mal lugar el pecho para tener presente un desengaño. Si era para dar a entender que aquella dicha no era nada, y que, si era algo, era tormento y ruido, fue ingratitud conocida. Dale su 10 suerte casi lo más de lo que le podía dar en la tierra y él, a dádiva tan grande, le pone nombres de dolor y desprecio.

Claro está que toda la pompa del mundo es estruendo vacío, pero el mundo no tiene pompas de 15 mejor naturaleza. Vivir en el mundo y cansarse de que no dé los gustos y los honores macizos, seguros y eternos es no conocer los hombres el mundo en que viven. Sin el aire no pudieran vivir los hombres, con que viene a ser la vida un poco de aire, pero no 20 porque sea aire es digna de desprecio. Vanidades son todos los bienes de esta vida, pero se pasa la vida muy mal sin estas vanidades. Sueños son todas las honras y comodidades de la tierra, pero quien no tiene estos sueños vive con muchas pesadillas. Juego 25 que se remata en llanto son todos los bienes temporales, pero, mientras dura, alegra. Peor fuera estar llorando siempre, peor fuera estar siempre padeciendo. Torrente son las prosperidades que pasa veloz, que no hace más que ruido y no deja más 30 que espuma, pero ese ruido deleita y esa espuma adorna la flor de la vida. Quien no le agradece a su estrella esta espuma, este ruido, este juego, este sueño y estas vanidades, no teniendo ella cosa mejor que dar en el suelo, se hace indigno de que se lo haya dado.

Los leones en los escudos de armas de los reyes y de los hombres ilustres significan magnanimidad y fortaleza. En el escudo nuevo que hizo Alejandro Severo para su nueva dicha quiso que el león no significase más que tormento. Intentó dar a entender que el que estaba con las felicidades era tan infeliz como el que estaba junto a un león hambriento, porque entrambos tenían iguales los desasosiegos y los sustos. Pienso que se engañó. Y si no, encierren cuantos dichosos hay, una noche, cada uno con un león; y si por la mañana hubiere alguno que no diga que se halló peor con el león que con las felicidades, yo habré sido el engañado.

En todos los estados hay penas, pero son penas muy fáciles de llevar las de los dichosos. Terrible cosa es que porque al hombre rico se le casó la hija con un caballero pobre piensa que no hay hombre tan desdichado, y si no fuera rico la casara él con un hombre ordinario y lo tuviera a muy buena suerte: mire qué gran trabajo fue la felicidad de ser rico. Yo apostaré que porque durmió mal Alejandro Severo la noche antes del triunfo, con el alborozo de la gloria que le esperaba el día siguiente, y porque yendo en el carro le dolía un poco la cabeza, con el ruido de los clarines y la algazara del pueblo, iba diciendo entre sí que no había tan grande enfado como triunfar ni descomodidades como las de una dicha. ¡Oh, mal contentadizos los dichosos!

2 En esta serie de imágenes y conceptos Zabaleta se aparta definitivamente del severo ascetismo en favor de ciertos premios y comodidades mundanos. Sólo más tarde reconoce Zabaleta que la conducta de Alejandro Severo pudiera tener valor moral.

La más piadosa consideración que se puede hacer en este caso es pensar que puso en el carro aquel jeroglífico para persuadir al mundo que sola la virtud era la verdadera prosperidad y que la otra no era más que estruendo y fastidio. Si él quiso decir 5 esto, dijo muy bien, pero también debió declarar que cabían las virtudes con las prosperidades, porque lo demás era desanimar a los hombres para que no sirviesen a sus reyes y a su patria, viendo que los que gozaban de los premios mayores afirmaban que 10 los premios no eran más que tormento y ruido. Muy bien se pueden juntar las prosperidades y las virtudes. Dichosos puede haber bien acostumbrados. Sobre todos los árboles se descuella la palma; bien pudiera la palma ensoberbecerse, pero no lo hace; 15 antes arquea las ramas como para besar la tierra y halla en la misma acción el premio de su humildad, pues al agobiar las ramas, se le vuelven en rayos, como de sol, las hojas. Árbol es muy favorecido de la suerte, pero aun siendo muy dichoso, lleva muy 20 dulce fruto. Muchos hay de los que sobrepujan a otros en bienes temporales, que hacen a otros muchos bienes y que dan de sus felicidades frutos muy provechosos. Innumerables hombres hay de gran dignidad, de grande puesto, que son muy humildes y que con 25 la humildad quedan en soles. La calabaza no se levanta del suelo, pero en el suelo se ensancha y se ahueca de modo que no hay suelo en que quepa y luego el fruto que da no vale nada. Muchos hombres hay de abatida fortuna que no hay quien se averi- 30 güe con ellos. Son soberbios y altivos y luego, cuanto hacen es un poco de calabaza. No es mejor la víbora, porque anda el pecho en la tierra, que el águila que vuela sobre las nubes. Muchos abatidos hay que tienen mucho veneno y muchos ensalzados que tienen generosidad mucha. Bien puede un hombre tener felicidad y hacer con las felicidades muy buenas obras. El que coge las flores para sacar dellas lo que tienen 5 medicinal y provechoso, de camino se deleita con la hermosura y la fragancia de las flores. Mientras se está gozando de las dichas se pueden estar sacando de las dichas virtudes.

Para quien no son buenas las prosperidades es 10 para los hombres de bajas inclinaciones. Si a una estatua pequeña le ponen una peana muy grande, en lugar de aumentarla, la disminuyen; en vez de parecer más, parece menos. El ruin en las prosperidades parece más ruin. Sobre un monte, un ratón se queda 15 pequeño, pero sobre un monte un gigante topa con las estrellas. El hombre que tiene el ánimo inclinado a lo bueno, en las prosperidades es mejor, en los puestos grandes es más grande. De todo se infiere que Alejandro Severo, en la pintura de su jeroglí-20 fico, erró o como desagradecido o como melindroso o como mal informado.

---

10 Es una fuerte contradicción con lo que Zabaleta había escrito en el error XIX donde, al considerar la conducta del virtuoso, dice: «De las prosperidades hace el caso que hiciera de una estopa ardiendo, que es fuego y luz que dura poco y no sirve de nada; con esto, no le engañan las prosperidades».

ERROR XXVI

Al rey Antígono le habían alabado mucho al filósofo Bión, pero habíanle dicho que era hombre de muy humilde nacimiento. Mandóle llamar y, en teniéndole en su presencia, le preguntó que de dónde era y quiénes 5
eran sus padres. Bión, entonces, con tanta entereza como si no fuera tacha tener sangre abatida, le dijo: «Señor, cuando buscáis cazadores, ¿preguntáis más que si tiran bien? Pues cuando buscáis amigos, no preguntéis más que si tienen buenas costumbres.» Apláu- 10
delo Juan Estobeo con grande fuerza.

Discurso

La nobleza heredada es consecuencia de buenas costumbres. Todos engendran su semejante. El hombre engendra hombre; el bueno engendra bueno; no es 15
lo último preciso, pero es ordinario. En el trigo, para

---

11 «Antigonus rex Bionem philosophum de ignobilitate criminatum, interrogauit: Quis & cuius es? ubi tua ciuitas est? ubi sunt parentes? Cui Bion respondit: Atqui ô rex bene facis, cum indiges sagittariis, quod non interrogando genus, sed scopum proponendo, optimos illorũ tibi deligis: sic igitur amicos etiam explora, non unde nati, sed qui & quales sint.» *Sententiae,* sermón 84, «De nobilitate», pág. 493.

estimarle, se atiende mucho al campo que le produce. En los hombres, para estimarlos, se atiende mucho a la sangre de que descienden. Albania cría ferocísimos leones; para hacer mucho caso de un león es menester 5 que sea de Albania. La nieve no engendra fuego porque es imposible. No es tan imposible que el hombre ordinario engendre hombre provechoso, pero poco menos. En los caballos se observa la raza, en los hombres la sangre. No hay observación tan ajustada, 10 no hay conjetura tan legítima.

Las virtudes hicieron la primera honra y luego se anda la honra tras de las virtudes, cuando no tras de todas, tras muchas. El hombre noble sabe que es grande mengua el mentir; por esto es tan grande 15 su dolor cuando le desmienten que le impele a castigar con un agravio al que puso en su verdad infame nota. El temor deste empeño le obliga a andar siempre muy cuidadoso de tratar verdad en cosas graves. El hombre bien nacido sabe que el ser muy 20 cortés es lustre de lindos resplandores y por esto es siempre muy cortés. Ahora me preguntará alguno de los que quieren parecer entendidos si es virtud la cortesía, y yo le respondo que la cortesía es virtud. Es virtud porque es especie de humildad, y luego 25 lo es porque es caridad honrar al que es menos. El hombre de sangre honrada sabe que es de ánimo grande amparar al afligido; por esto, si ve reñir a muchos con uno se pone al lado del que está solo y por socorrer una vida arriesga la suya. El hombre 30 de linaje ilustre sabe que no vivirá su patria si no hay quien muera por ella, y por esto en la guerra es a los peligros el primero. El hombre de prosapia generosa sabe que la liberalidad es tan bienquista como el sol, y por esto anda como el sol derramándose en beneficios. Todas estas cosas buenas y otras muchas sabe el hombre noble, ya porque en premio de las virtudes del que empezó aquel linaje y de las buenas costumbres de los que le continuaron ilustre se las están dictando, como desde el cielo dentro del corazón, ya porque son muchos los instrumentos que le ayudan para obrar generosamente. Uno de estos instrumentos es los ejemplos domésticos de sus antecesores, cuyas virtudes o se las tiene la memoria presentes o se las traen a la memoria los retratos. El que quiere salir o parecer bien en la calle se aliña primero a un espejo en su casa. El hombre bien nacido aliña en su casa sus costumbres a los ejemplos de sus mayores para salir a la calle. Fuera desto, en los hombres nobles la educación es medio eficacísimo para hacerlos obrar bien porque, de la suerte que sigue el agua al dedo que le va haciendo camino por la arena, sigue la juventud a la enseñanza. Y, finalmente, al hombre de buena sangre, ver lo que esperan dél los hombres, le hace muy hombre.

Todas estas cosas obligan y comprimen al hombre bien nacido a que sea bueno; con dificultad lo dejará de ser quien, cuando no quisiera serlo, le fuerzan tantas razones a que lo sea.

Siendo esto así, ¿por qué los reyes, que se deben servir de los mejores, no han de preguntar por la sangre que ordinariamente hace buenos? Los hombres de nacimiento humilde bien pueden tener muy buenas costumbres, bien pueden tener muy buenos procedimientos, pero su crédito tiene necesidad de la experiencia, ha menester la aprobación del tiempo. Los nobles, en sabiéndose que son nobles, se debe presumir que son bien acostumbrados, mayormente en aquellas cosas que llamamos buenos respetos.

Vémoslos en casi todos, y de aquí se debe inferir que tiene Dios particular cuidado de dárselos a los más. Cuando la naturaleza cría de un ciervo otro ciervo, cuida mucho de su ligereza; cuando cría de un león otro león, cuida mucho de su magnanimidad; cuando cría de un noble otro noble, cuida mucho de que sea como los otros.

Deben los reyes poner grande atención en que los hombres que eligen para su comunicación o para el servicio de sus personas sean bien nacidos. Lo primero, porque ordinariamente son los que mejor cumplen con su obligación. Lo segundo, porque son unos hombres que, en la educación, los pusieron sus padres desde niños al oficio de hombres de bien; débese creer que le sabe quien le estudió tanto tiempo y luego se debe conocer que, quien sabe hacer una cosa, la hace fácilmente. Lo tercero y último, porque la conversación con los reyes o servicio de sus personas es dignidad, y las dignidades tocan por derecho hereditario a los hombres principales. Los antepasados nobles o tuvieron o merecieron puestos honrosos; si los tuvieron, lo que merecieron después de tenerlos, se lo dejan a sus descendientes; si no los tuvieron y los merecieron, este derecho, aun no premiado, pasa a los que los suceden; con esto, los que proceden de ilustre prosapia tienen el primer derecho a las dignidades. No es la herencia de la nobleza como la de la hacienda. En la herencia de los bienes entran pocos, en la de la nobleza todos los de un linaje. Son los hijos mejorados, pero participan todos. Los que enriquecieron, enriquecieron para pocos; los que vivieron ilustres, vivieron para el lustre de muchos. Quitarles a éstos la estimación humana es quitarles su herencia. Fuera desto, la virtud es cosa de valor tan grande que no solamente merecen con ella los que la tienen mientras viven sino que merecen con ella, después de muertos, los que la han tenido. Aquellas cenizas muertas están mereciendo que se premien y estimen aquéllos en quien ellas viven. En los que viven está mereciendo la sangre de los que murieron, porque está en ellos viva y ordinariamente está más merecedora que en las primeras venas, porque ordinariamente tiene virtudes añadidas. Los reyes están obligados a premiar las virtudes y, haciendo mucho caso de los nobles, premian a los muertos y a los vivos.

Cuando a los nobles no se les dieran las dignidades y los oficios por conveniencia propia, se les habían de dar por conveniencia de los oficios y las dignidades. Mejor cultivan los campos los labradores naturales que los forasteros; conocen la condición de aquel cielo y la naturaleza de aquella tierra y saben como han de usar de aquella tierra y de aquel cielo. Los nobles, por la mayor parte, o se ocuparon en cargos públicos o sirvieron en palacio, y así sus hijos, como naturales de aquellas ocupaciones, las entienden mejor que los plebeyos que nunca estuvieron en ellas.

Por todas estas razones debió Antígono preguntar por la nobleza de Bión, si le quería ocupar en su servicio, y Bión erró contra todas estas razones en su respuesta. Preguntar por la sangre no es olvidarse de las costumbres; antes es informarse de las costumbres en la sangre.

---

29 En contraste con la posición que defiende Zabaleta, tenemos lo siguiente: «Como si no supiéramos que la honra es hija de la virtud, y tanto que uno fuere virtuoso será honrado, y será imposible quitarme la honra si no me quitaren la virtud que es centro della...» *Guzmán de Alfarache*, *op. cit.*, II, 29; «A verdadeira nobreza consiste na virtude... que aquêle é

Yo confieso que si un hombre humilde excediese a un caballero en virtud moral o intelectual, debe ser preferido al caballero el humilde, pero en caso de igualdad, debe ser preferido el caballero. Debía de ser 5 soberbio este filósofo y, ya que no pudo alabar a sus padres, se alabó a sí mismo.

principal para com Deus, que vale não por nobreza de sangue, nem por dignidade do mundo, mas por devoção de fé e santa vida... ¿que aproveita sê-lo em sangue quem é obscuro na vida?» Frei Heitor Pinto, *op. cit.*, *Diálogo da Religião,* I, 127.

ERROR XXVII

Arquímedes, insigne geómetra, estudiaba con tanta ansia los movimientos del cielo para figurarlos en un globo de metal hueco, que siempre estaba tirando líneas y formando círculos. Tan grande era la aplicación que 5 *a esto tenía que se olvidaba de sí mismo. Entraron un día sus criados en su estudio y dijéronle que se fuese a bañar y ungir, limpieza y regalo de que usaban mucho en aquella región. Él les mandó que le dejasen. Volvieron de allí a un poco y dijéronle lo mismo, y él ni alzó los* 10 *ojos de los papeles ni hizo caso de ellos. Debían estos hombres de quererle bien y condoliéronse de su incansable fatiga. Arrebatáronle en la misma silla en que estaba sentado y, a pesar suyo, le llevaron, con la misma violencia que si le hurtaran, al baño que le tenían prevenido.* 15 *Desnudáronle por fuerza y laváronle. En estando lavado, le ungieron con licores aromáticos. Parecióle a Arquímedes que perdía tiempo el tiempo que gastaba en enjugarse (tanta era su agonía por conocer la esfera), y sobre las aromas que por el cuerpo le habían* 20 *derramado estaba haciendo con el dedo figuras geométricas. Cuéntalo Juan Estobeo, alabándole de que no sabía estar ocioso.*

---

23 «Archimedum incumbentem abaco, & figuras quasdam ducentem, famuli per ium abstractum ungebant: ille uerò figuras in corpore uncto

Discurso

Quien quisiere trabajar, descanse. El trabajo que no halla sosiego, no dura. Las aplicaciones se han de conformar con las fuerzas naturales. Querer hacer 5 más de lo que se puede es querer no poder hacer lo que se quiere. El hombre es hecho de alma y cuerpo, que es lo mismo que de cielo y tierra. El cielo nunca para, la tierra nunca se mueve. El hombre que se compone de entrambos ha de tener alternativos el 10 sosiego de la tierra y el movimiento del cielo; ha de trabajar, pero ha de descansar. Las aves tienen pies y alas: las alas para volar y para descansar los pies. Si volaran siempre, les faltara el espíritu; porque no les falte, descansan, y porque descansan, vuelan. 15 Querer estar estudiando siempre un hombre es darse prisa para no estudiar. Estudiando se aprende, pero estudiando mucho se pierden las fuerzas para aprender lo que se estudia; con que estudiar mucho y no hacer nada no se diferencian más que en los nombres. 20 Los mercaderes siempre están deseando ser más ricos, pero no están navegando siempre. De cuando en cuando dejan descansar la nave. Entonces la reparan y la aliñan. Si quisieran que siempre navegara, se quedara en el camino. Tenía grande ansia de saber 25 mucho Arquímedes y no dejaba descansar su entendimiento; con su ansia, grande era el riesgo que tenía de no poder pasar adelante. Los ruiseñores cantan con tanta gana de cantar más que suelen reventar cantando. Los que estudian sin intermisión y des-

ducebat.» *Sententiae*, sermón 29, «De assiduitate, et diligentia, et quod ignauia sit inutilis», pág. 206.

canso, a puro querer saber más saben menos. Enamórase el ruiseñor de su canto, tiene razón, y a puro cantar se mata. Enamórase el ingenioso de los efectos que produce su estudio, hace bien, y a puro estudiar se debilita. Pero si no atienden a su vida 5 el ruiseñor y el ingenioso, les faltará vida para hacer tan dulces, tan provechosos ejercicios. Si se saca poca agua de un pozo, sale clara; si se saca mucha, sale turbia. Al entendimiento que le trabajan algo, le aclaran; al que le trabajan mucho, le enturbian. Los 10 campos que descansan un año dan doblado el fruto el siguiente: el ocio los hizo fecundos, la esterilidad los hizo abundantes. El descanso en los estudios es fértil; haciendo está fuerzas para que el trabajo sucesivo dé el fruto doblado. 15

La comida y el trabajo tienen casi una condición misma. La comida es vida, pero si es demasiada es enfermedad y muerte. El estudio es la vida del entendimiento, pero si es demasiado es su perturbación o su ruina. Sin alguna luz no se puede ver cosa alguna, 20 porque no sirven los colores ni los ojos. La demasiada luz tiene el mismo defecto que la oscuridad, porque entorpece los ojos y confunde los colores. Sin algún trabajo no se hace nada, y con demasiado trabajo es nada lo que se hace. Fatigado un entendimiento 25 con el cansancio, no sé que pueda hacer cosa que importe. Lo que suele hacer es maltratar a su dueño para que no pueda volver a lo que hacía. Los afectos se creen a sí mismos muy fácilmente.

Tenía grande gana Arquímedes de estudiar mucho 30 y creía con estar sobre los libros que estudiaba aun después de cansado. Si de fatigado, en el campo que araba, se echara un labrador sobre los surcos, no porque estuviera sobre los surcos araba. Estar sobre los libros, después de rendida la humanidad, es estar ocioso sobre los libros. Los que tienen afición a una cosa, ya que el amor no los permita reportados, hágalos el temor prudentes. Los que tienen amor a los estudios debieran considerar que, de no dejarlos algún rato, resultaría el perderlos. Ya que el amor es tan desatento, sea el temor más mirado; repare en que se pierde lo que se ama si el amor es indiscreto. Sola la eternidad es inmensa. En la tierra todo tiene medida. Querer hacer perpetuas las obras humanas es querer convertir la tierra en cielo.

Tuvieron lástima de Arquímedes sus criados y lleváronle al baño para que descansase de su fatiga y para que le renovase la vida el baño. Muy descuidado está de sí aquél por quien miran más sus criados que él mismo. Deber más a los enemigos que al amor propio es tener al amor propio por enemigo. Si ya no es que hay hombres tan amables que los quieren bien sus criados, como otros tan aborrecibles que no los pueden ver sus hijos. Laváronle, pues, y ungiéronle sus criados a Arquímedes; y él, sobre lo espeso de los aromas blandos que tenía dilatados por el cuerpo, estaba con el dedo formando aquellos imaginarios círculos con que distingue el cielo la geometría. En el baño estudiaba: erró el lugar y el tiempo; todas las cosas tienen su tiempo y su lugar determinado. Lo mejor que hay en un cuerpo humano es la cabeza y, si la naturaleza se la pusiera al cuerpo debajo de un brazo, estuviera ridícula. La garganta es su asiento. Ponerla en otro lugar fuera hacer monstruosidades. Monstruos cría el que pone fuera de su lugar las cosas. No basta que la acción sea buena para que sea buena donde quiera. Orar es la mejor cosa del mundo y, si uno se fuese a un teatro de comedias a estar en oración de rodillas, le tendrían por loco. Las virtudes tienen su maestra de ceremonias: la discreción es su maestra.

Muy bueno es estudiar, mas si alguno se fuese a estudiar al patio de palacio, le apartaría de allí la discreción. También parece en su lugar cada cosa, que hay lugar en que parece bien el bobear. Si algunos hombres entre sí amigos se fuesen a holgar a un jardín y allí disputasen con entereza materias graves, parecerían pesados y moledores; mas si dijesen disparates gustosos parecerían cortesanos y ligeros. Ponían las boberías donde habían de estar y hacíanse discreciones las boberías.

Para que sea virtud el estudiar es menester que tenga perfección de virtud. La virtud es perfección del alma, modo discreto de la vida y acción purísima del entendimiento; sus obras son hermosas, son templadas con moderación tempestiva. Si las obras de la virtud han de tener tempestiva moderación, ¿cómo podrá ser loable la acción que se hace fuera de su tiempo? Las aves melancólicas, que llaman nocturnas, gimen de noche porque les parece que no es el tiempo de lamentarse el tiempo en que la luz alegra a todos. Los pájaros alegres y festivos callan de noche, porque no parezca que hacen burla de los que duermen. Si los brutos saben observar los tiempos, ¿por qué no les han de saber observar los hombres? El estudio es acción de trabajo. El baño es rato de recreación y de gusto. Introducir lo laborioso con lo deleitable es hacer que lo deleitable

---

13 Recalca aquí Zabaleta la opinión expresada en error IV donde abogó por los placeres de la conversación de sobremesa y la compañía de los amigos.

sea penoso y que lo laborioso sea inútil y vano. La verdadera hora del comer es cuando hay hambre. Siendo esto así, ha determinado la prudencia humana que sean las horas del comer al mediodía y al primer tercio de la noche. El que por haber comido fuera destas horas, aunque esté reventando, no come en ellas; piensa que le hace una traición a su vida. De puro haber comido no come, y porque no come a sus horas, piensa que no ha comido. Está harto, pero no satisfecho, pero no gustoso. La sazón, la gracia de las cosas es su tiempo. Las cosas hechas sin tiempo ni agradan ni satisfacen. Estudiar en todo tiempo y lugar es errar los lugares y los tiempos. La figura que pintan con un libro en la mano, si la ponen en un estrado de damas, tiene la mano en el libro. Si la ponen en un jardín, no deja el libro de la mano. Si hay un convite en el sitio donde está, asiste con su libro al convite. Si a media noche la miran, con el libro la hallan. Si a cualquier hora del día la encuentran, la encuentran con el libro a aquella hora. Tan insensato es como esta pintura el que está como ella, a todas horas con el libro en las manos.

ERROR XXVIII

Vio Diógenes Cínico junto a una fuente a un muchacho que, recogiendo en forma de vaso la mano, bebía con ella. Suspendióse un poco, como contemplándolo, y luego dijo, encogiéndose de hombros: «Harto más en- 5 *tendido es este muchacho que yo, pues no anda cargado de lo que no ha menester.» Llamó luego hacia el pecho una talega, que le pendía en un cordel a las espaldas, sacó della una escudilla de palo, con que solía beber, y arrojóla en el suelo. Apenas hubo hecho esto, cuando* 10 *como huyendo de la escudilla, prosiguió su camino, diciendo entre sí: «No sabía yo que hasta desto había cuidado la naturaleza.» No hay rincón en que esto no esté celebrado. Cuéntalo Diógenes Laercio.*

DISCURSO 15

Si la naturaleza quisiera que la mano nos sirviera de copa para la sed, nos hubiera dado la sed a la medida de la mano. Pero habernos dado mucho calor

---

14 «Intuitus aliquando puerum concava bibentem manu, cotylam pera productam abjecit, dicens, Puer me simplicitate victus superavit. Projecit et catinum, quum similiter vidisset puerum vasculo fracto concavo frustuli lenticulam excipientem.» *Vitae*, VI, 2, 37.

natural y luego darnos una mano muy pequeña, que para refrigerar este calor sirviese de vaso, era querer que gastásemos en beber la mitad de la vida; pues para beber un cuartillo de agua a sorbos es menester mucho tiempo. ¿Fuera bueno que, porque se pueden comer las natillas a puñados, arrojásemos las cucharas para comerlas? No todo lo que basta es lo mejor. Alguna cosa hay mejor que lo que basta. La naturaleza no hizo casas ni ciudades, y es mejor vivir en las ciudades y en las casas que en los desiertos y en las grutas. La naturaleza da pocas cosas de balde, las más quiere que nos cuesten nuestro trabajo. La que supo hacer el cielo y la tierra, también supiera hacer una casa; vio que nosotros no sabríamos hacer la tierra ni el cielo y hízolos ella; vio que sabríamos hacer una casa y dejónos que la hiciésemos. No fue haber cuidado de nuestras viviendas haber dejado concavidades en los montes y haber hecho hendiduras en los riscos. Darnos entendimiento con que las fabricásemos fue haber cuidado de nuestras viviendas.

Una de las necesidades más precisas de nuestra humanidad es la limpieza. Sin ella estuviéramos sin comodidad o anduviéramos sin salud. Porque bebiésemos limpio, cría la naturaleza el agua muy clara, la cuela por los menudos poros de la tierra, la refina en la aspereza de las entrañas de los peñascos, la extiende doradas arenas sobre que se deslice, la pone al paso matizadas guijas que lama, y la perfila los márgenes de olorosas flores que bese. Pues habiendo ella puesto todo este cuidado en la limpieza de nuestra bebida, ¿cómo se puede creer que quiso que bebiésemos con la mano, volviéndose cieno lo que en ella se bebe? La mano más limpia tiene poros. Al humo que los poros arrojan, se pega el polvo, se pega la inmundicia de las cosas que se palpan. Con que beber con la mano viene a ser beber agua con tierra y beber inmundicias en el agua. Bien pudiera el hombre beber de bruces el agua, pero hiciera mal 5 en beberla. Hízole la naturaleza animal muy superior y mira mucho por su dignidad la naturaleza. Los brutos beben de pechos. ¿Qué importa, si son brutos? Los hombres beben el cuerpo derecho, llegando con la mano el vaso a la boca. Hacen muy bien, que son 10 hombres. ¿Qué diferencia hubiera entre los hombres y los brutos si bebieran con la fealdad que los brutos los hombres? Hagan los hombres copas en que beber, porque no parezcan brutos.

Necesarios son muchos instrumentos en el mundo 15 que también le parecieran a Diógenes excusables. Los cuchillos parece que sobran en la mesa, pudiendo despedazar con las manos. La mesa parece que sobra, pudiendo comer sobre las rodillas. Pues no sobran la mesa ni el cuchillo. No quiere la naturaleza que 20 un animal de tan perfecta figura como el hombre haga acciones disformes ni desaliñadas. ¿Cuáles se pondrían las manos despedazando la comida? ¿Qué gestos obligaría a hacer lo difícil del partir sin cortar? Sobre la rodilla se resbalaría el plato por instantes, 25 se mancharía por instantes el vestido. Luego, aunque la naturaleza dio manos y rodillas, hizo necesarios el cuchillo y la mesa. Lo que no hizo necesario es que la mesa, el cuchillo, la cuchara, la vivienda y la copa sean de materia preciosa, sino bastante. La que 30 es carga pesada es la copa de cristal y oro, la de oro y piedras preciosas, la de la plata y corales. Ésta, aun quedándose en casa, anda sobre el corazón; ésta, no fatigando la mano, oprime el pensamiento; ésta era la que había de arrojar Diógenes, no la hortera. La copa de mucho valor se ha de arrojar del deseo para no buscarla, se ha de arrojar de la estimación para que no fatigue. El agua en la copa preciosa mata 5 la sed y aviva la codicia. El que bebe en copa de precio grande queda con sed de copa de más precio. Si no se puede mejorar la materia, apetece más prolija la hechura. Con los metales preciosos andan remendando los ricos las cosas viles para hacer 10 más preciosos los metales. En la plata fingen una hoja de parra para beber en ella, figuran con el oro lo que no vale nada y dejan de más valor la plata y el oro. Una teja es de poquísima estimación y ellos transforman el oro y la plata en teja, que le sirva 15 de copa, para que lo laborioso de la figura haga más estimable la materia.

Las copas ricas son muy perniciosas porque es mucho lo que el beber en ellas hincha. ¡Qué hueco queda el rico de ver la plata y el oro entre sus labios! 20 Naturaleza debe de ser del oro y de la plata no hallarse sino con los soberbios. Los montes fueron sus primeros dueños. Todos los demás dueños que después tienen se vuelven montes. ¡Qué engreídos están y qué duros! Lo engreído bien se ve. Lo duro se conoce 25 en lo que es menester trabajar en ellos para sacarles una migaja de la plata que encierran. Mucho hinchan las tazas preciosas. Más saludable es una humilde. No usar de ninguna es desaliño.

La naturaleza pide algunas cosas artificiales; lo que 30 no pide es mucho artificio en las cosas. La casa es precisa, pero no muy gran casa. Casa donde quepa la persona, no donde la vanidad quepa. Buscar edificios suntuosos es buscarle vivienda a un vicio. La vanidad ha menester casa grande porque se ensancha mucho. Todos los elementos tienen una misma cantidad, pero unos ocupan más lugar que otros. De una misma cantidad son la tierra y el aire. Si se condensase el aire, quedaría del mismo tamaño que la tierra. Dilátase mucho y ocupa mucho más espacio. El hombre es tierra, su vanidad es aire, y así ha menester mucho mayor casa la vanidad que el hombre. Condense el hombre su estimación hasta la cantidad de la tierra, de que es formado, y su estimación y él cabrán en corta casa.

También ha menester alhajas la vivienda, pero fáciles y acomodadas, no las que enamoran al ladrón sino las que bastan a la persona. De la misma manera se descansa en una silla de baqueta que en una de brocado. De la misma manera saben los manjares sobre el pino que sobre el ébano. El hambre también se halla con los manteles de gusanillo como con los de imaginería. Desvelarse para los ojos ajenos es tener el entendimiento sin ojos. Las admiraciones ajenas no hacen conveniencia propia. Saben bien, pero cuestan mucho, y no valen tanto como cuestan. Una de las cosas que duelen mucho a los hombres son las compras erradas. No sé cómo no les duele mucho comprar a tanta costa las admiraciones ajenas, no valiendo nada las admiraciones.

De las superfluidades es de quien se ha de huir; mas no se han de convocar las necesidades. Si Diógenes llevara consigo una taza de oro y viera que el muchacho bebía con una escudilla de palo, me pareciera bien que trocara con el muchacho la vasija, porque bien vale un desengaño un poco de oro; mas porque vio al muchacho beber con la mano, arrojar la hortera fue desatino, porque el muchacho usó del instrumento que le dejó la necesidad. No usara dél si tuviera otro más acomodado. Si basta la mano para beber, había de beber con la mano Diógenes desde allí en adelante. Si bebió siempre con ella, 3 halló que bastaba, ¿pero habrá quien se persuada a que bebió siempre con ella?

ERROR XXIX

Hubo en Atenas una dama hermosísima, de estas que hacen de la liviandad oficio. Su nombre era Prine. Cometió un delito grande, de que fue acusada. Veíase su causa sin que ella pareciese en el juicio, y el abogado 5 *que la defendía conoció en las palabras y en los semblantes de los jueces que el suceso había de ser malo. Era hombre astuto y lleno de experiencias y, dejándose la oración pendiente, dijo: «Suplico al Tribunal que antes de tomar resolución en este negocio mande que* 10 *parezca aquí esta mujer porque conviene.» Mandáronla traer allí. Ella entró con un velo en el rostro, quitóse el velo, humilló los ojos, compuso el semblante y quedaron absortos los jueces. Conoció el abogado la mudanza de los corazones, y la oración que sagaz había* 15 *dejado, la volvió a coger con ardentísimo espíritu. Dejáronse vencer de las palabras los jueces, como ya tenían gana de ser vencidos. Dieron por libre a la delincuente, y no sólo la dieron por libre sino la mandaron poner una estatua por prodigio de hermosura.* 20 *Volaterano celebra mucho la cautela deste abogado.*

---

21 «Phyrne, nonnullis Phrynee scribitur, meretrix accusata, & in iuduco Atheniensi ob pulchritudinem absoluta, quum tunicam a pectore deduxisset.» Volaterrano [Raffaello Maffei], *Commentariorum rerum urbanorum libri XXXVIII* (Basileae, 1530), pág. 217. Este libro fue publicado por

Discurso

¡Qué enferma anda la mentira siempre: por instantes se cae de su estado! ¡Qué de medicamentos son menester para conservarle la vida! Los abogados que
5 defienden causas injustas ¡qué de astucias han menester para defenderlas y qué mal hacen los abogados que las defienden! ¡Que no haya causa tan injusta para que no haya abogado! Enfermedades hay incurables muchas; no hay pleito incurable. El médico
10 se despide en las enfermedades desesperadas; el abogado de ningún pleito se despide. Pues algunos pleitos hay sin remedio. ¡Válgaos Dios por leyes, que para todo haya ley! ¡Y sólo no la haya para el abogado que entorpece con sus palabras a todo un tribunal
15 el juicio! ¡Que haya penas para quien les descompone la estimación a los jueces y que no las haya para quien les desluce la rectitud con cautelas! Los abogados son en los tribunales unos defensores de las causas justas, son unos hombres doctos que aclaran
20 el hecho y fundan el derecho, que acuerdan las leyes y motivan las razones; son unos hombres ingeniosos y elocuentes que al inocente libran de la pena y que engendran odio para la culpa; son unos hombres discretos y lenguaraces que inflaman los ánimos de
25 los jueces contra los malos y los mitigan, inflamados, el favor de los buenos; y son finalmente unos varones que, cualquier afecto que sea menester introducir o sosegar en los ánimos de los jueces, le saben sosegar

---

primera vez en Roma, 1506, y luego en París, 1516. Sobre Maffei (1455-1522, Volterra) no he alcanzado ver Falconcini, *Vita del nobil uomo e gran servo di Dio, Raffaello Maffei* (Roma, 1772).

o introducir hablando. Dueño es el abogado elocuente de los ánimos de los que juzgan. Si éste patrocina injusta causa, mata la razón con dulcísimo veneno. No sólo no debe empezar causa injusta, pero ni proseguir la empezada. Pero ¿cuál hace esto? Porque, 5 una vez la empezó a defender, hace empeño el defenderla y teme mortalmente sentencia contraria. Por no perder el pleito injusto empezado, no hay camino ilícito que no intente, y mira más por el lustre de su fama que por la divinidad de la justicia. 10 Tiene el abogado injusto tan movible la lengua como una caña, que cualquier viento la tuerce; a donde quiere el litigante la inclina. El cocodrilo, para engañar al pasajero, mueve velocísimamente el labio inferior. Peor es que el cocodrilo el injusto abogado, 15 pues los mueve entrambos con suma ligereza para engañar a los jueces. Sus leyes son fábulas porque no tienen de las leyes que citan sino la primera palabra. Semejantes son estos hombres a los herejes. Los herejes son falsarios de la ley de Dios, ellos de las leyes 20 humanas. El hereje le tuerce el sentido a la ley divina; él a la ley humana le tuerce el sentido. En siendo malos estos hombres, son peores que los otros hombres malos, porque el malo yerra, mas no aconseja el yerro; el abogado yerra en defender causa 25 injusta y aconseja su error a una cosa tan soberana como son los tribunales. La abogacía injusta es traición declarada, porque profesa el abogado defender la razón y se vuelve contra la razón que está a defender obligado. Quien ama al rey, ama la ley; 30 quien a la ley ofende, al rey injuria. También la injusta abogacía es traición por esta parte.

Deben ser los abogados hombres virtuosos, doctos y elocuentes. Nada intenten con maña, nada con engaño. Todo lo soliciten con la verdad, todo con la razón. Nada ha de estar en la República tan incorrupto como los tribunales, y éstos se estragan más veces con la lengua del abogado que con el dinero del litigante. Y es mucho peor instrumento la lengua que el dinero, porque con el dinero no engañarán al juez amigo de hacer justicia, y le harán errar fácilmente con la lengua. El halago de una flor suele sacar al pasajero del camino real; él piensa que va bien y va perdido. La dulzura de una palabra engañosa de un orador suele sacar al juez del camino derecho y, pensando que va bien, se pierde. No ha de haber arte en la abogacía, porque el arte se aparta de la verdad y en ninguna parte es menester tanto la verdad como en los juicios. Lo más que se permite es el aliño en las palabras y el calor en los afectos, porque la elocuencia hace a la verdad dulce y clara, y el ardor en proponerla suele persuadirla. Los engaños, las astucias dondequiera son feos; en tan sagrado lugar, abominables.

El abogado de esta mujer vio que no podía introducir la sinrazón por los oídos de los jueces y quiso introducirla por los ojos. Era la mujer muy hermosa y pidió que trajesen allí a la mujer. Conocía el hombre los efectos de la hermosura y quiso ayudarse de sus efectos. Entró Prine en la sala, descubrióse el rostro y quedaron ciegos los jueces. El primer efecto que hace la hermosura es causar estimación. Así como vieron los jueces aquella hermosura, empezaron a estimar a quien la tenía, empezaron a no creer fácilmente en ella culpa. El respeto no se atreve a creer error en lo que venera. Ya iban creyendo que la acusación era falsa. Nadie venera interiormente lo que tiene por malo; como veneraban a la delincuente en su hermosura, la iban teniendo por buena. El segundo efecto de la hermosura es el amor; ya se inclinaban a Prine los jueces por su hermosura. Nadie conoce el defecto en la cosa amada; ya ellos no hallaban en aquella mujer defecto. Nadie puede sufrir 5 que padezca lo que ama; ya ellos no podían sufrir la imaginación del castigo. Todo era venerarla interiormente, todo era cariñosamente estimarla.

Sólo por no ver a las mujeres pudieran los hombres desear nacer ciegos. ¡Qué de daños ha hecho el mi- 10 rarlas! Son del alma enemigos domésticos los ojos que meten al ladrón en casa. Es la hermosura un engaño mudo que cautiva el entendimiento sin palabras y que persuade con el silencio. El basilisco vivo todos lo saben que mata mirando. Del basilisco 15 muerto saben pocos que hace huir las aves; pues sepan todos que donde está el basilisco muerto no hay pájaro que llegue. Una hermosura que ni habla ni acaricia parece hermosura muerta. Sin vida no hay acciones. Donde no hay acciones parece que no 20 hay vida. En la hermosura que ni habla ni se mueve parece que la vida falta; pues ahí hay fuerza para ahuyentar las virtudes. Así como vieron los jueces la hermosura de Prine, aun sin que ella los mirara, aun sin que les hablara ella, huyeron de sus cora- 25 zones la honestidad y la justicia, y no se atrevieron a llegar a la verdad ni la razón. ¡Oh, fiero basilisco! Conocióles la novedad interior el abogado, y arrebatando la ocasión y la oración, les persuadió cuanto quiso. Deseaban ya ellos que fuera verdad la mentira, 30 y pasó la mentira plaza de verdad. Absolvieron los jueces a Prine de la instancia. Ojalá no hubiera sido más que absolverla, pero mandaron ponerla estatua. ¿Cuándo ha habido error sin error compañero? Mandaron que estatua se le pusiese, que quiso Dios en castigo de su culpa que ellos mismos se hiciesen el padrón de su infamia. A tan gran ceguedad trajo a aquellos hombres la astucia del abogado. Los cuervos sacan los ojos a los hombres muertos; éste sacó los ojos a los hombres vivos. El cuervo suele sacar los ojos a aquel de quien recibió buenas obras; éste sacó los ojos a aquellos jueces con cuyos aplausos y con cuya benevolencia había adquirido riquezas y honores. Los cuervos sacan solamente los ojos materiales; éste sacó a los jueces los ojos del entendimiento. Las arañas, de su mismo pecho, sacan los hilos para hacer las telas con que ensucian las paredes y afean las viviendas. Los malos abogados, con los enredos que sacan de su pecho, estragan los juicios y afean los tribunales.

ERROR XXX

Alcibíades, nobilísimo ateniense, compró en grande suma de dinero un perro de desusada estatura y nunca vista fiereza. A éste traía siempre consigo un bozal en la cara. Preguntóle un hombre un día que para qué se acompañaba de aquel animal tan fiero, y él dijo que para echarle a los habladores, porque le enfadaban mucho. Temía Alcibíades que le dijesen en su cara o en su ausencia le murmurasen algún defecto, y quería tapar las bocas con esta amenaza. Testifícalo y celébralo Plutarco.

Discurso

El hombre bien acostumbrado es el primer murmurador de sus acciones. En la acción propia, en que no hay culpa, la halla. El hombre mal acostum-

11 «Canis, quẽ habebat Alcibiades inusitata magnitudine & specie septuaginta emptum minis, per q̈ elegantẽ caudã detruncauit. Obiugantibus eum familiaribus, omnesq́: dicentibus, canis causa pungi & insectari ipsum, arridens: Ergo, fit, inquit, quod volo. Volo. n. de eo loqui populũ Atheniẽsem, nequid de me dicat deterius.» Plutarchus, *Alcibiades*, [IX], *Vitae comparatae Illustrium Virorum Graecorum & Romanorum* (Venetiis, MDLXXII). Sobre la figura de Alcibíades, véase Jean Babelon, *Alcibiade 450-40 av. J.-C.* (París, 1935), que examina el carácter de este

brado siente que los otros le murmuren o le motejen y se pone en defensa de su culpa. ¡Error detestable! Al que se pusiere al lado de algún enemigo suyo, tan grande que no pudiese librar dél la honra ni la vida si no era dándole la muerte, le tuviéramos por loco. El que se pone de parte de sus errores ampara unos enemigos que le quieren quitar la vida y la honra. Loco es sin duda.

Los maldicientes, los decidores andan aliñando las vidas ajenas y echando a perder las suyas. Son los barrenderos de las costumbres. Los que barren las calles las arañan para barrerlas, pero déjanlas sin polvo y sin lodo. Las calles quedan limpias y ellos llevan mucho polvo y mucho lodo. Los que murmuran las acciones de los otros, los que dicen agudezas picantes lastiman al que murmuran y al que motejan, aunque sea de pedernal, pero oblíganle a que se enmiende. Él se enmienda y ellos se llevan la tacha de deslenguados. Para sanar la herida de una flecha no basta sacar la flecha de la herida; menester es poner en la herida remedio. Para sanar de las murmuraciones y de las picazones no basta matar al murmurador y al decidor; menester es curar las costumbres. Nunca es tan feliz el vicioso como cuando le hieren con la murmuración o la chanza. Si siente mucho las picadas de la chanza y de la murmuración, viva bien, porque o ellos le dejarán o él no sentirá las heridas. La virtud hace fuertes. Si las avispas se anduviesen a picadas tras de un diamante, ellas se

griego: «Alcibiade abreuva jusqu'à la nausée tout Athènes de ses originalités. Toutes les nuances du rire s'y mêlent a la blaque mediterranéenne, le *practical joke* anglais et sa froide resolution, la sinistre *beffa* à l'italienne, l'humour désespéré du *pícaro* espagnol, et la truculence rabelaisienne» (página 38).

matarían y a él no le ofenderían. De diamante son los virtuosos. Más flacos son que avispas los que los zahieren o murmuran. Si a uno se le antojase tirar pelladas de lodo a la luna, él quedaría que fuera asco y a ella no la mancharía. Muy lejos está de los maldi- 5 cientes el que vive bien; no importa que ellos hablen mal: sus palabras son lodo; el virtuoso es estrella.

Querer Alcibíades amedrentar tantas lenguas mordaces con un perro era echar un lebrel a mil leones. Ya se ve lo que haría entre mil leones un lebrel, y 10 ya se ve lo que harían con un lebrel mil leones. Un perro, con razón o sin ella, se pone al lado de su dueño; nadie tenga quien le defienda sin razón o parecerá bruto el que le defiende. Por la noche es cuando los perros se desvelan mucho en guardar lo 15 que se les encarga; de día es menester poca defensa. Si Alcibíades estaba en las tinieblas de los vicios, no era mucho que buscase un perro que le guardase en las tinieblas; pero son tantos los enemigos que producen las tinieblas de la mala vida que ni muchos 20 perros bastan. Los que están rodeados de la luz de las virtudes desde muy lejos ven a sus enemigos. Donde hay mucha luz hay pocas asechanzas. Contra la luz de la virtud se declaran pocos. Si alguno comprase un perro para hacer que los cuervos no 25 graznaran, gastaba neciamente su dinero. ¿Qué se le da al cuervo en el aire del perro en la tierra? Comprar ladridos contra los maldicientes es obligarlos a ladrar más. Un ladrido llama a otro ladrido. Nada hace callar tanto como el callar. Un silencio hace otro 30 silencio. Pocos hablan contra quien no habla. Armarse de mordeduras contra los que muerden es irritarlos para más mordeduras. Entre los que riñen, cada uno quiere que su golpe sea el postrero; con esto se acaba

la vida antes que los golpes. Querer hacer callar a injurias es añadir materia para que hablen. Si uno matase mil murmuradores, los que quedan murmurarían por ellos y por los que faltan; y tendrían aquello
5 más que murmurar que hubo de defecto en aquella venganza. Las culebras se sustentan de tierra. Si la tierra quisiese librarse de las culebras, tendría necesidad de convertirse en cielo. Las lenguas maldicientes se alimentan de los vicios ajenos. Los vicios
10 están asidos a la tierra. Hágase cielo quien quisiere librarse de las lenguas maldicientes. El que sopla una centella la enciende; el que la escupe la apaga. El que a los maldicientes y decidores los quiere hacer callar, a oprobios y amenazas los enciende; y el que
15 los desestima los apaga. Un pórtico hay en Asia con tal arte fabricado que en él repite cada voz siete veces el eco. Los maldicientes parece que están fabricados con este arte, pues contra una palabra de defensa tienen siete de agravio. A lo agrio se van
20 ordinariamente los mosquitos. Los agrios con los maldicientes hacen que se vayan a ellos los susurros y las picadas.

Los que tienen defectos piensan que los hacen menores con hacer mayor el número de los defectuosos;
25 por eso están siempre murmurando y zahiriendo. Defecto es la venganza. Por no lograrles la intención

---

26 Al abogar en este error por el constante examen de conciencia y por el perdón del contrario, Zabaleta está de acuerdo con el pensamiento de muchos de su época; *exempli gratia*, las palabras de Roque a Don Quijote: «A mí me han puesto en él no sé qué deseos de venganza, que tienen fuerza de turbar los más sosegados corazones; yo, de mi natural, soy compasivo y bien intencionado; pero, como tengo dicho, el querer vengarme de un agravio que se me hizo, así da con todas mis buenas intenciones en tierra...» *Don Quijote*, II, LX (ed. Martín de Riquer: Barcelona, 1955), página 1020.

había el hombre cuerdo de perdonarlos. Las hormigas muerden a quien las toca. Poco mayor es que una hormiga quien se vuelve contra el que le murmura. La magnanimidad es una virtud ni tímida ni arrojada. El hombre de ánimo grande no ha de temer las libertades y las murmuraciones ni ha de ser arrojado en los desquites. Las murmuraciones y las libertades injustas no tienen fuerza. Bien se ve que es de ánimo débil temer a débil enemigo. Arrojarse a medios desusados para satisfacerse también es de ánimo pequeño, porque el no poder sufrir es flaqueza. Por hablador no han echado a las fieras a ninguno. Castigo es extraordinario echar perros, como fieras, a los maldicientes. Los hombres que hizo la naturaleza de espíritu grande no han menester en su favor el ánimo ajeno, porque saben sufrir la injuria con el ánimo propio, y quien la sufre la vence. Hacerse la paz perdonando es mayor triunfo que venciendo. No sé si son felices los poderosos; lo que sé es que los que no usan del poder que tienen son muy felices. Quien se puede vengar y lo deja, no sólo tiene el ánimo grande sino grande la dicha. El gallo, cuando le injurian, engríe la cresta: mayor está con el agravio; cuando quiere pelear, se abate; para la venganza, se abrevia. La murmuración deja a la virtud de mejor estatura. El que se vuelve contra la murmuración deja de ser virtuoso; entonces se hace pequeño cuando trata de su venganza. El que pisa una cosa está más alto sobre ella. Traer debajo de los pies las injurias hace a los hombres más altos. Erró Alcibíades en armarse contra los maldicientes.

ERROR XXXI

Artemisa, reina de Caria, hija de Lidamo y mujer de Mausolo, fue tan fina con su marido que las cenizas en que quedó abreviado el cadáver las echó en una copa
5 *de agua y se las bebió. Cuéntalo Aulo Gelio y admíralo toda la tierra.*

DISCURSO

Murió Mausolo. Quemaron en leños aromáticos, como era costumbre, el cadáver. Redujéronle a ce-
10 nizas y fue menester para estas cenizas sepulcro. Trató de hacerle su esposa Artemisa, y mandó convocar

---

6 «Artemisa Mausolum uirum amasse fertur supra omnis amorum fabulas ultraque affectionis humanae fidem.... Is Mausolus, ubi fato perfunctus inter lamenta et manus uxoris funere magnifico sepultus est, Artemisia, luctu atque desiderio mariti flagrans uxor, ossa cineremque eius mixta odoribus contusaque in faciem pulueris aquae indidit ebibetque multaque alia uiolenti amoris indicia fecisse dicitur. Molita quoque est ingenti impetu operis conseruandae mariti memoriae sepulcrum illud memoratissimum dignatumque numerari inter septem omnium terrarum spectacula. *Noctes Atticae*, X, XVIII, ed. P. K. Marshall, Oxford Classical Texts (Oxford, 1968). Pedro Mexía narra una versión de esta anécdota en su *Silva de varia lección*, II, XV.

10 La crítica contra excesivos gastos funerarios también es frecuente en la obra de Zabaleta, *exempli gratia*, error III.

para hacerle cuantos arquitectos grandes se conocían por aquellas regiones. Trazóle el mejor dellos, y trazóle mayor que un palacio y más lleno de primores que todas las fábricas del mundo. Para esto los bueyes de ciento en ciento arrastraban, fatigados, despedazadas las sierras de Numidia. Para esto en toda una armada venía dividida en trozos informes toda una roca de Creta. Para esto lavaba peñascos el Ponto y le sacaban del Ponto los peñascos. Para esto adelgazaban a golpes el oro; para esto estrechaban en moldes la plata y para esto animaban en estatuas el bronce.

Empezóse la obra en columnas, cada una como un Atlante: bien eran menester desta estatura y desta fortaleza, pues habían de sustentar una máquina como un cielo. Echáronles encima la máquina y ellas sudaban como si tuvieran el cielo encima. En unas partes florecía el jaspe en violetas, pues parecían violetas sus manchas; en otras anochecía en sombras negras, quedándole por estrellas las pintas blancas; allí fingía verdes prados, donde imitaban sus plateadas venas los arroyos; aquí bermejeaba a trechos, como que le habían hecho sangre los buriles.

Los mármoles relumbraban en espejos, codiciosos de muchas estatuas. El pórfido se entristecía de verse pisado en escalones. El bronce se variaba en figuras. La plata se enredaba en filigranas. El oro se dilataba en techumbres. Desde el alabastro se despeñaban las fuentes y recogían las más alabastro.

Acabóse el sepulcro y parecióle a Artemisa indigno hospedaje de las cenizas de su esposo. Quísoles dar mejor albergue y bebióselas en una copa de agua. ¡Fuerte locura! Porque, ¿dónde podían estar estas cenizas peor que en su estómago ni de dónde podían salir más abominables? Porque estuviesen en su cuerpo pocas horas, ¿las quiso echar en el desprecio para siempre? Por saber que las tenía consigo un breve espacio de tiempo, quiso no saber dellas en su vida. Si la tierra se convirtiera en sustancia propia, era haber hecho parte de su corazón las cenizas de su marido, pero no pudiendo ser alimento del cuerpo humano, fue tomar una enfermedad para sí y darles una tacha a las cenizas. Una de las razones porque entierran los cuerpos muertos es porque no se les coman los brutos. ¿Qué más hiciera un bruto que comerse un cuerpo muerto? Lo mismo fue tragarse las cenizas que no sepultarlas. El delfín es rey del mar. Cuando muere le cogen entre otros delfines y, penetrando con el abismo de agua, le sepultan en la profunda arena sobre que cargan los abismos. Allí le esconden de los otros peces, porque los otros peces no se le coman. ¡Esto es piedad grande en aquel instinto! Fuera grande crueldad si al delfín muerto se le comieran los delfines vivos. Lo que en los delfines fuera crueldad hizo Artemisa con su esposo. La intención buena bien puede disculpar las acciones malas, pero no las puede librar de aborrecibles. La mancha de que se escapa el corazón cae en el entendimiento.

Si fuera señal de amor verdadero hacer sepulcro de la cosa amada el cuerpo amante, fuera acusación y vergüenza para los hijos no comerse los cadáveres de sus padres y para los padres no comerse los de los hijos. ¿Con qué cara había de sepultar en la tierra ninguna mujer a su marido, si fuera indicio de amor grande hacerle sepulcro de sí misma? El último beneficio que se le hace a un cuerpo es darle paz con darle sepultura. Gentil paz les dio Artemisa a las

cenizas de Mausolo, haciéndolas opolización. Atascólas en las venas que van del estómago al hígado. Metiólas a enfermedad pensando que las daba la suma reverencia. Porfiadas, pues, y estadizas en los vasos de la sangre, las limarían con polvos de acero, 5
las ablandarían con unturas y las moverían con inquietudes. Porque reposen las cenizas, las entierran. Linda manera de reposo les dio Artemisa poniéndolas donde las limen, donde las revuelquen y donde las troten. 10

Parecióle a esta mujer que era ella mejor sepulcro de su esposo que el que había labrado, siendo el que había labrado el mejor sepulcro. Yo le confieso que un cuerpo humano es, por de fuera, lo más hermoso que hay en el mundo, principalmente cuando es de 15
mujer hermosa: no es tan agradable el sol, no son tan admirables las estrellas. Pero esta obra tan hermosa es, por de dentro, fea y horrible, de gran artificio pero de mal aspecto. Los que han tenido ánimo para ver anatomías podrán decir el ánimo que es me- 20
nester para verlas. No hay cosa tan espantable. Esto es cuando entró la muerte no por enfermedad sino por herida. Miren, pues, ahora cuál estará por de dentro un cuerpo vivo, desordenados con alguna enfermedad los humores. El corazón se abrasa, la 25
sangre se empodrece, los nervios se aflojan, los sentidos se turban y los órganos del cerebro se destemplan. No hay lugar, por feo y espantoso que sea, con quien poder comparar lo interior de un cuerpo humano, cuando está sin salud el cuerpo. Beberse 30
un vaso de ceniza mojada es introducir en el cuerpo una enfermedad con las propias manos. Bebióse

1 Opolización: voz desconocida.

Artemisa en una copa de agua las cenizas de su esposo: un cuerpo enfermo les dio por sepultura a las cenizas.

Si esta mujer hubiera puesto este polvo difunto, 5 esta ceniza desgraciada, en el sepulcro que le tenía labrado, estuviera en una caja de oro que le chupara toda la luz al sol si alcanzara a verle; y esta caja estuviera en una urna de jaspe de manchas negras tan hermosas que tuvieran las estrellas envidia de las 10 manchas. ¡Cuanto mejor estaba aquí que en un estómago, que es una bolsa que se sale, de materia basta y de hechura torpe!

Diránme ahora que fue fineza de amor grande. ¡Pobre amor, toda la vida patrocinando desatinos! A 15 mí no me han de hacer creer que el amor hace boberías. Lo que pueden creer todos es que el que hace boberías con amor no las hace como amante sino como bobo. Alma tienen los tontos racional, pero por la mala organización del cerebro, reciben poca 20 luz del alma. Van a obrar como racionales y obran como tontos. Amor puede tener un tonto, pero recibe poca luz del amor. Va a hacer un primor de enamorado y hace un disparate de necio. Una antorcha en mano cuerda es luz, es guía. En mano torpe es peli- 25 gro de incendio y las más veces es estrago. El amor en el buen entendimiento es antorcha que le alumbra para hacer muchos primores. En el malo es llama que amenaza ruina y que ofusca al que la lleva.

---

11 Una bolsa *cuyo contenido* se sale.

14 Recuérdese la manera en que Zabaleta censura a Porcia (error XIII) por su demasía de amor.

18 Sobre el tema de que el amor convierte en cuerdos a los torpes, véase *La dama boba*, ed. Rudolph Schevill, notas a los versos 769 y 1099ff (*University of California Publications in Modern Philology*, vol. VI, 1918)

Una de las propiedades del amor es mirar mucho por la cosa amada. ¿Podremos decir que ama mucho a su hijo quien, porque no le dé el aire, le mete en un arca? No hay duda que está mejor en una arca que en un aposento para que no le dé el aire; pero 5 del arca saldrá muerto y del aposento saliera vivo. Parecióle a Artemisa que las cenizas de un cuerpo amado estaban mejor dentro del cuerpo amante que en el más precioso sepulcro. Parecíale bien si este cuerpo amante fuera incorruptible y eterno, pero 10 siendo mortal y corruptible ya se ve si lo erraba. No hay grande amor con poco entendimiento y sin grande amor no se hacen finezas. Que no hay grande amor con poco entendimiento es evidente, porque no se puede amar mucho la perfección que no se 15 penetra mucho. Sin mucho ingenio no pueden transcender las perfecciones. De aquí resulta que quien no entiende mucho la perfección la ama poco. Que no hay finezas sin amor grande es infalible, porque, a quien no ama mucho, no puede hacer mucho 20 por lo que ama. De la acción de Artemisa se infiere que tenía poco entendimiento, y amor con poco entendimiento no puede ser grande, y amor que no es grande no hace finezas. No se llame, pues, fineza beberse las cenizas de su esposo; llámese bobería que, con poco entendimiento, hizo una mujer enamorada.

ERROR XXXII

Los de la provincia de Erine le pidieron a Platón que les hiciese leyes con que mantener su República en justicia. Él se excusó. Rogáronselo muchas veces y él se 5 *fingió ocupado otras tantas. Conocieron que era no tener gana más que impedimento. Fueron un día a su casa y dijéronle que, ya que no les daba las leyes que le pedían, les dijese por qué se las negaba. Él les dijo entonces: «Porque sois ricos.» Quiso dar a entender que* 10 *era imposible domar poderosos. Estima en mucho este dicho Plutarco.*

DISCURSO

¿Qué les faltaba a los ricos, si no hubiera leyes para ellos? Las riquezas hacen de los hombres fieras, 15 pero siempre quedan contra las fieras hombres. Si los tigres se viniesen a las ciudades o los amansarían o

11 El texto de Plutarco trata más bien de Lucullus que de Platón, al cual se refiere de paso: «Cyrenaeos cùm offendisset continentur à tyrannis & bello exagitatos, recreauit eos & remp. eorum cõstituit, vocem Platonis, quam fuerat ipsis vaticinatus, refricans apud ciuitatem. Cùm enim illum scilicet rogassent: vt leges ipsis scriberet, populumq: ipsum ad forman aliquã ordinaret bonam moderandae reip. Arduum dixit esse adeò no fortunatis leges ferre Cyrenaeis. Nihil est enim homine rebus elato fecundis contumacius, neque parẽtius imperio rebus aduersis deiecto' quod

los matarían. Las leyes a los ricos o los amansan o los acaban. Unas especies hay de animales que no saben más que su negocio. Una de estas especies son los ricos. Ellos no saben más que andarse aumentando sus haciendas: el infierno no es tan insaciable. El 5 infierno, para acaudalar más almas, se vale de infinitos engaños, de innumerables malicias. Los ricos, para aumentar sus caudales, si no hubiera leyes, fueran peores que el infierno. ¡Qué hubiera de logreros! Algunos hay, de esos hacen mucho daño. Si no hu- 10 biera leyes, hubiera infinitos: miren el daño que hicieran. Sin duda es providencia del cielo que haya algunos para que, conociendo el mal que hacen, agradezca el mundo a las leyes que no haya muchos y que tengan amedrentados a los que hay las leyes; 15 porque éstos sin miedo y los otros sin justicia acabaran con el mundo. El principio de las aves es el agua. Déstas hay algunas tan feroces que comen carnes. Los cuervos son de las aves que las comen. Diránme a esto que los cuervos sólo se atreven a los 20 ojos de los cuerpos muertos, y yo les respondo que también se abalanzan a los ojos de los jumentos vivos. Yo confieso que las riquezas, según la verdad, es una poca de agua chirle; pero de esta agua salen las aves de rapiña que el mundo llama ricos. Éstos 25 se comieran muertos a los pobres, y aun vivos se los comieran, si no hubiera leyes. Comiéranse la pobre casa que le dejó el oficial pobre a su pobre hijo. No faltara una escritura falsa que sirviera de dientes. Comiéranse el juro limitado que dejó para la obra 30

quidẽ Cyreneos tunc ferenti leges Lucullo tractabiles praebuit.» *Lucullus*, [II, 5-6], *op. cit.*, pág. 244. En vista de tantas discrepancias debemos recordar que aquí, como en tantos otros casos, Zabaleta se vale de estas anécdotas históricas como medio para expresar su cosmovisión.

pía el que vivió virtuosamente. No faltará una cesión supuesta. Los ojos de los cadáveres no estaban seguros en las sepulturas y los ojos de los pobres vivos no lo estuvieran si las leyes no los ampararan.
5 Preguntaránme ahora si los pobres son jumentos: harto jumento será quien me lo preguntare: ¿Qué más jumento que un pobre? A él le mandan a gritos y a golpes, y no tiene ánimo de volver la cara contra el que le da los golpes y los gritos. A él le hacen
10 estar siempre trabajando y apenas le sustentan. Su traje tiene la misma fealdad que una albarda, y esa se la renuevan muy de tarde en tarde. Jumentos son los pobres y como a jumentos, aun estando vivos, les sacaran los ricos los ojos si las leyes no los ame-
15 drentasen.

La riqueza hace iracundos y vengativos. Si no hubiera leyes, ¿quién se escapara de un poderoso? De un animal, digo, que tiene tantas garras como criados y tantos dientes como menesterosos. Los ricos
20 tienen tan delicada la condición como el cuerpo; una pulga los hace saltar, un puñado de humo los enoja; el menor movimiento de un pobre, el menor engreimiento de otro menos rico los irrita y los enfurece. La ira común es un demonio que dura poco, pero si
25 entra en un cuerpo apenas hay quien con él se averigüe. Endemoniados para poco tiempo son los enojados. La ira de los ricos es demonio, pero es demonio de más asiento. Apodérase de un corazón para tiempo largo. En el cuerpo que entra infunde rabia;
30 si no fuera por las leyes, obrara como un demonio.

La soberbia es una enfermedad con quien viven muchos y sin quien mueren pocos. Todos son soberbios pero más que todos, los ricos. Tienen los ricos soberbia, pero no es soberbia vana; macizada está de oro; vicio es, pero no es vicio ligero; el peso que tiene el oro es el peso que tiene; culpa es, pero es culpa con quien no se juega fácilmente; cajas de doblones tiene por lastre. Soberbia tienen los pobres, pero es culpa vacaí, ligera de quitar, fácil de deshacer.

Piensa el pobre entendido que nada es tanto como él. Llégale la necesidad del vestido o la comida, entra por las puertas del poderoso, míranle con desdén los criados, hácele esperar el dueño, propone su necesidad temblando, socórresele sin gana o no se la socorre. Voló la soberbia del pobre entendido. No tenía dentro oro y llevósela la necesidad. Piensa el caballero sin hacienda que no hay quien le iguale o que se puede igualar con todos. Dale una calentura, no tiene con qué curarse y dan con él en un hospital. Voló la soberbia del caballero sin hacienda. No tenía dentro oro y llevósele el aire de un accidente. Piensa el valiente necesitado que no hay más que ser valiente. Métenle en una cárcel, enciérranle en un calabozo, échanle una cadena y búrlanse dél los presos. Voló la soberbia del valiente necesitado. No tenía oro con que mantenerse en la cárcel y llevósela el aire de un soplo. Aunque todos éstos vuelvan a criar soberbia, como es soberbia vacía, no tiene consistencia; hácela una imaginación y deshácela una nonada. No hay cosa más hinchada que la espuma: un movimiento la hace y otro la deshace. Parece perlas y es agua. Como no tiene valor, deshácese presto. Muy fácil es de desbaratar la soberbia de los pobres, y es porque es soberbia tan vana como la espuma. Por de fuera parece algo, por de dentro no es nada. La soberbia de los ricos, como está maciza, es muy dificultosa de combatir. Cuerpo hay de niebla mayor que un monte; no tiene nada dentro y una hebra de sol le aniquila. Al cerro de Potosí ha muchos siglos que lo están golpeando y no hay quien le desbarate. Está lleno de plata: no es mucho sea invencible. Para la soberbia maciza de riquezas son menester las leyes, que aquélla de los pobres, como está vacía, es como la espuma: con el dedo se arrolla. Engríese el rico tanto que les quita la luz a los que no son ricos. Como está lleno de oro no hay fuerza que le desvíe. Llegan las leyes y acábanlo por mil partes; por unas se desmorona, por otras se hunde; con esto, deja que se desahoguen los que oprimía. Las leyes hacen hombres de los ricos, que sin ellas no fueran sino estrago de los hombres.

Fuerza es que haya quien a los malos se oponga. No son malos todos los ricos, pero son ferocísimos cuando son malos. Quien se les puede oponer son las leyes de la razón y, si no, ellos harán de sus vicios leyes. Para que suene bien un instrumento es menester herir todas las cuerdas. Cesa la armonía en habiendo algunas que no sientan la mano. No puede estar bien gobernada la República donde los pobres y los ricos no están manoseados de las leyes. No puede haber República de solos pobres ni buena República donde no hay leyes para los ricos. Si donde hay muchos enfermos hubiera pocos médicos, no hubiera quien los curara todos. Si donde hay pobres y ricos no hay leyes más que para los pobres, quedaran sin remedio los vicios de los poderosos. Con el dinero viven los hombres, con las leyes viven las virtudes. Si los ricos están sin leyes no habrá virtudes en los ricos.

---

6 Aquélla: 'esotra' en el original.

Porque hubo quien se atreviera a hacer leyes para los poderosos, viven los poderosos debajo de las leyes. Si todos hubieran sido del parecer de Platón, fuera todo el mundo tiranías. Lo dificultoso es lo que se ha de hacer, que lo fácil hecho se está. Los pobres 5 se pueden gobernar por señas. Para los ricos son menester los gritos de las leyes y un brazo muy rico que las ejecute. Para esto se hicieron los reyes y se hicieron poderosísimos, porque los ricos junto a ellos parezcan pobres. Para esto están los reyes y las Re- 10 públicas llenando de mercedes y comodidades a los gobernadores, porque no hayan menester la hacienda de los súbditos poderosos. Con esto hay leyes para los ricos y brazos que las ejecuten. Si no hubiera estas leyes, la avaricia, la venganza y la soberbia 15 fueran dueños del mundo. Grande flaqueza fue de Platón pensar que era la razón más flaca que el vicio. Engañóse. La razón es lo más fuerte. Las leyes son razón. Bien puede hacer leyes para los poderosos, pues nadie es tan poderoso como las leyes. 20

ERROR XXXIII

Tiramenes, uno de los treinta tiranos de Sicilia, hizo un convite de increíble aparato. Empezóse la comida y, cuando con más admiración se iba prosiguiendo, se desunió el edificio y sepultó a todos cuantos en él estaban, dejando al tirano libre. Él salió lleno de polvo y horror a un jardín del ya destruido palacio. Miró aquella universal desdicha y, abriendo los brazos, levantando los ojos, dijo: «Fortuna, ¿para qué me guardas?» Temió que a tan raro beneficio de la suerte había de corresponder igual desgracia. Pasóse este susto y, dentro de pocos días, los veinte y nueve tiranos, sus compañeros, le mataron a puñaladas. Estima en mucho Volaterano este conocimiento de la condición de la fortuna.

Discurso

No hay más fortuna que Dios. Su Providencia es lo que llamamos fortuna. ¡Oh, si yo fuera tan dichoso que pudiera quitar de la boca de los cristianos este

15 «Theramenes quoque unus è XXX. tyranis Atheniensibus, domo corruente in qua accumbebat caeteris' que conuiuis pereuntibus, quum solus euasisset, protinus exclamuit: Quò me fortuna reseruas? nec diu

nombre! Muchos debe de haber que saben que no hay fortuna, pero muchos más los que la están creyendo.

Si les preguntasen a algunos de los no bien doctrinados qué tenía por fortuna, bien me parece a mí que no acertaría a decir cómo la figura dentro de su entendimiento, pero también me parece que la imagina como un algo invisible y poderoso de donde salen los bienes y los males, no como distribuidos sino como derramados, que hace los males sin razón y los bienes sin causa. Puédese inferir que juzgan desta manera a la fortuna en el modo con que della hablan. Unos la llaman ciega, otros loca; unos mudable, otros inadvertida; unos dicen que tiene mal gusto y otros que tiene poca justicia. Si los que hablan della con este estilo creyeran que era la Providencia, eran todos blasfemos; si no saben que lo es, cometen un error que tiene de idolatría los dejos. De cualquier manera hay en esto inconveniente grande, y así importaría mucho que las personas de entendimiento no usasen desta palabra fortuna, escribiendo ni hablando, porque el vulgo ignorante no creyese que gobernaba otra cosa más que el cuidado de Dios. El cuidado de Dios es quien lo gobierna todo. Nada sin él se hace. Dios, desde su quietud, atiende a este general movimiento. El que ha de tocar un instrumento músico, primero que le toca, le templa. Proporciona los sonidos graves con los agudos, las voces medias con las agudas y las graves, y ajusta entre sí los acentos de todas las cuerdas.

post ab eisdem tyrannis interfectus fuit.» Volaterano, *Commentariorum urbanorum*, pág. 370, lib. XXXI, *De labore*, cap. «De doloris necessitate et remedio». El mismo espisodio está en Aeliano, *Varia historia*, IX, 29.

En teniéndolo todo con estas atenciones dispuesto, sin moverse del lugar en que está, lo mueve todo y lo rodea. Nada se hace allí que no sea al arbitrio de su mano. Formó Dios el mundo, señaló a cada es-
5 trella su oficio, templó en debidas proporciones los elementos, hizo los hombres y les ordenó los sucesos en aquella armonía que sonó bien a su divina inteligencia. En teniéndolo todo en este punto templado, lo empezó a mover todo y lo está moviendo y ro-
10 deando con sola su mano poderosa, en quietud alegre y glorioso descanso. Muy parecido es el sol, en sus atenciones, a la atención de Dios con todas las cosas. El sol no sólo ilustra, calienta y vivifica el aire, el mar y la tierra, pero se entra por las ventanas en
15 los edificios y por los resquicios en los rincones. De todo cuida igualmente, de lo pequeño y de lo grande, y aun parece que más de lo pequeño, pues más trabajo costará entrar por un resquicio que por una ventana. Dios, sol de justicia, sol de misericordia,
20 está cuidando aún de las cosas menores en lo grande y de lo grande y de lo pequeño en las menores. Al movimiento de cada hoja asiste, al lugar que le toca en el número a la más menuda arena atiende; los gustos, los disgustos, los instantes de cada hormiga
25 los tiene indefectiblemente tanteados. Quien cuida de los movimientos de las hojas, del número de las arenas y de los acaecimientos de las hormigas, mejor cuidará de los sucesos de los hombres, criaturas —no sé si diga— emparentadas con su divinidad por la
30 semejanza. Grande locura sería del que está en la orilla del mar, viendo venir un navío a la orilla, pensar que no hay dentro entendimiento claro y mano atenta que le gobierne. Aun mayor locura que ésta sería pensar los hombres que no hay mano divina en

los sucesos humanos sino que es atención ciega y mano torpe la que desatinada los dirige.

Diránme ahora que si no hay fortuna con las condiciones y defectos que la pintan sino que es Dios quien lo gobierna todo, ¿cómo da bienes a los malos 5 y males a los buenos? Cuando yo no diera razón de esto, es la autoridad de Dios tan grande que no tiene necesidad de razón. Bástale por razón hacerlo Él. Bástale por justificación su voluntad. Quien no puede querer sino lo bueno, es bueno todo lo que quiere. 10 Si a su autoridad fuera dada satisfacer a esta duda, ¡qué buenas razones diera! Pero, pues su voluntad basta por razón, basten para satisfacer a los ignorantes estas mis piadosas conjeturas. Puédese creer que da Dios bienes a los malos, porque no sean peo- 15 res, y males a los buenos, porque sean mejores. Ve Dios a un hombre con inclinación de hurtar, acude presto a quitarle de entre las manos las necesidades porque no use mal de las manos. Ve Dios a otro hombre con ánimo firme y constante y que ha de 20 merecer sufriendo. Como le conoce el ánimo, dale mucho que sufra para que merezca mucho. Suele dar también Dios bienes a los malos porque se los piden, porque si siempre se los negase, pensarían que no había Dios que los oyese. Y es Dios tan discreto que, 25 porque conozcan los malos que tienen un Dios tan bueno que hace a los malos bienes, hace bienes a los malos. Da también males a los buenos, porque los buenos conozcan que pueden no ser males los males, pues se los da Dios a los que le sirven; 30 y porque vean los malos que pueden no ser bienes los bienes, pues andan entre los buenos los males. Da también algunas veces Dios males a los buenos, cuando los buenos le piden bienes, porque no piensen que le han de servir por las comodidades, y suele dar bienes a los malos, porque no les ha de dar más que aquellos bienes. Quedara muy dolorido si a los mismos que le ofenden, para ser condenados, no les hubiera 5 hecho muy buen pasaje. Y si en el infierno pudiera haber virtudes, habían de estar muy agradecidos todos los que están en el infierno. Pero estoy por decir que no acertara Dios a dejarlos padecer para siempre si viera en ellos algunas virtudes.

10 La fortuna, en fin, es Dios; con esto no puede haber error en la fortuna. Estaba Tiramenes, poderosísimo tirano, presidiendo en las dilatadas mesas de su convite, gustosamente sordo con el estruendo de la plata, gloriosamente ciego con los resplandores 15 del oro, golosamente torpe con la abundante variedad de los manjares, sabrosamente humilde en los agasajos que hacía a los inferiores, cuando repentinamente se vino al suelo todo el edificio. Volvieron el oro y la plata a estar en las entrañas de la tierra. 20 Embriagóse el polvo de bebidas aromáticas. Cayeron las pinturas sobre los platos que habían antes parecido pinturas. Mataron los derrocados mármoles a cuantos allí servían y a cuantos eran servidos. Y, en fin, bajaron en cóncavos pedazos los dorados y rotos 25 artesones a servir a los calientes cadáveres de mal ajustadas tumbas. Sólo Tiramenes salió con vida desta general muerte. Salió a un jardín, vióse dichoso y empezóse a temer desdichado. Clamó y dijo: «Fortuna, ¿para qué me guardas?» Aquí trató a la 30 fortuna de inconstante. Parecióle que no podía haber felicidad de aquel tamaño sin otra tanta infelicidad que la correspondiese. No es una dicha consecuencia de una desdicha. Si esto fuera así, los más dichosos fueran los más desdichados, porque a mayores bienes

sucedieran mayores males. Si él supiera que era Dios el que gobernaba los sucesos, no tuviera por tan pobre a su poder, que pensara que no podía hacer dos bienes juntos: ni a su piedad por tan escasa que no acertara a ser liberal mucho tiempo. Bueno es prevenir los males en los bienes; malo es pensar que siguen precisamente a los bienes los males. Dios no hace nada como acostumbrado, todo lo hace como discreto. Si a algunos les dio dichas y desdichas, convino que se las diese. Dárselas a algunos no es preciso orden para todos.

Mataron después a Tiramenes sus compañeros. Dicha podía ser el morir si él estuviera para morir prevenido. Muy torpe es quien, con una dicha, no sabe hacer otra; muy ignorante quien, con un bien presente, no sabe hacer otro bien del mal futuro. Con el oro se hacen muchas cosas y todas son de oro. Para hacerlas parece que el oro se deshace. Aquí lo hierven, acullá lo liman, en unas partes lo encierran en el molde y en otras lo maltratan con el martillo. Con una dicha que parece que se deshace, se pueden hacer muchas dichas.

Sepan usar de los sucesos felices los hombres y serán felices todos los sucesos. Con armarse de virtudes en las felicidades contra las desdichas, las que parecen desdichas son felicidades.

ERROR XXXIV

Roma estuvo sin médicos seiscientos años y se cree que fueron desterrados de ella o por inútiles o por dañosos. Si no hay certeza, la conjetura es fuerte, porque siendo 5 *Roma la corte del mundo no es dudable que si los dejaran entrar entraran. Que estuvo Roma seiscientos años sin médicos lo dice Plinio, que los desterraron lo dicen muchos. No es de mi propósito desoscurecer la verdad; es de mi asunto impugnar el desacierto.*

10 ### Discurso

Había Dios de criar al hombre desnudo; vio que poco después de criado había de tener necesidad de vestido y prevínole muchas cosas de que se vistiese. Formóle con tal artificio que había de tener necesidad 15 de alimento y crióle muchas cosas de que se alimentase. Dióle, sujeta a enfermedades, la vida: claro está que

9 Hablando de los médicos, Plinio dice que los Romanos «... iurarunt inter se barbaros necare omnes medicina, et hoc ipsum mercede faciunt ut fides is sit et facile disperdant... in hac artium sola evenit ut cuicumque medicum se professo statim credatur, cum sit periculum in nullo mendacio maius... medicoque tantum hominem occidisse inpunitas summa est.» *Historia natural*, XIX, 8, 17 *et. seq.*

le había de dar medicina para las enfermedades. Para
vestir al hombre hizo animales que brotasen lana,
hizo gusanos que hilasen seda, hizo plantas que se
dividiesen en hilos. Para alimentarle le crió el trigo
de color de oro, porque viese que es oro barato el
trigo. Produjole plantas de color de esmeralda, porque en el color de las unas esperase las otras. Pro-
dújole animales de cuya muerte hiciese vida. Habíale
de dar la salud quebradiza y dióle pulsos por donde
se le conociese que tenía la salud quebrada. Dióle la
piel transparente para que, en faltando en ella el rosi-
cler de la sangre, se viese que la sangre había ido a socorrer al corazón maltratado. Hízole medicamentos de
casi cuantas cosas tiene el mundo. Para vestir al hombre no sólo hizo lana, seda y lino sino dio ingenio a
muchos hombres para disponerlos al servicio común,
para estrecharlos en un telar y para dejarlos hermo-
sos después de tejidos. Hízole con necesidad de alimento, y no sólo le crió plantas de que se sirviese y
animales que matase sino dio habilidad a muchos
hombres para que facilitasen gustosamente a la di-
gestión los animales y las plantas y para que de
muchos sabores hiciesen uno que no fuese ninguno
de aquellos sabores. Dióle, sujeta a enfermedades,
la vida, y no sólo le dio palabras con que informase
dellas, pulsos con que por señas las dijese, color que
las certificase, secretos e innumerables instrumentos
con que las hiciese guerra sino hizo algunos hombres
de entendimiento tan raro que le penetran los secretos
a la naturaleza, que leen el mal en el color, que
entienden las señas de los pulsos, que se hacen
presto dueños de las palabras y que con las palabras,
los pulsos, el color y los secretos aderezan, maltra-
tada, una vida.

Hombres hay que entienden divinamente la fábrica del hombre; hombres hay en quien hay cuanto hay que saber en la medicina. Si éstos tuvieran poder contra lo incurable, no hubiera muerte. Tiénenle contra las enfermedades donde no es la muerte precisa. Raro será, ahora, el que leyendo esto no diga que si el médico es sólo para las enfermedades en que no ha de haber muerte, ¿para qué es el médico? Para quitar estas enfermedades. Dios quiere que se hagan las cosas con los medios que tiene determinados. Bien puede Dios hacer día sin el sol, pero quiere que se haga con el sol el día. Bien puede hacer que brote luces la tierra que lleguen al cielo, pero aunque lo puede hacer, no lo hace y deja obrar a los ordinarios instrumentos. Al que Dios le da la enfermedad sanable, quiere que sane la enfermedad con la medicina que él tiene dispuesta o hubiera hecho sin qué ni para qué la medicina. La Providencia soberana no hizo nada superfluo: a cada cosa la obligó a otra cosa, a cada una le dio su oficio. Cuando hizo los remedios, los sujetó al dominio de la medicina; esclavos son del arte los remedios y los esclavos aguardan a que su dueño les mande. Si a uno le diesen una herida en que hubiese probable peligro de muerte y dijese que no le tomasen la sangre, que si Dios no quería que muriese, sin sangre podía vivir, decía una verdad y hacía un desatino, porque Dios no querrá de estilo ordinario que él viva sin sangre, habiendo hecho la sangre para alimento preciso de la vida. A Dios no le mueven las boberías a hacer milagros, y no sólo no le mueven las boberías pero ni causas pequeñas; ordinariamente los obra por cosas de grande momento. En las enfermedades o heridas, donde hay peligro grave, es pecado mortal no usar de la medicina, menos en el martirio o en otros casos de especie semejante. Si no fuera error negarse al arte médica, no fuera pecado, porque el pecado no puede estar dentro del acierto.

Ahora entran los que dicen que los médicos los matan. Con su mismo argumento los concluyo. Si él que no ha de morir no ha menester médico, el médico no podrá matar al que no ha de morir. Al que ha de morir, no el médico, Dios es el que le mata. Los médicos (salvo los juicios de Dios inexcrutables) ni pueden dar ni quitar la vida, pero pueden quitar la enfermedad o aumentarla, hacerla ligera o hacerla grave, aliviar della o atormentar con ella.

Médicos hay doctos y experimentados que conocen las causas de las enfermedades y desvanecen las causas, que saben donde está la raíz del dolor y cortan el dolor por la raíz, que hacen curas tan extrañas que parecen divinas, pero no es mucho que lo parezcan si es mano divina la que les da los instrumentos. Trabajando están incesablemente todos los elementos para la medicina; el cielo cuida de la medicina incansablemente. Estos hombres son muy dignos de veneración y alabanza pero, en la equivocación de los médicos ignorantes, como todos traen unas mismas señas, suelen perder la alabanza y la veneración. Ve el vulgo al médico bueno y al médico malo sobre una mula, vestidos a todos de una manera y piensan que son de una manera todos. El buen suceso del médico malo y el malo del médico bueno suele igualarlos en la estimación. Con esto, ni se sabe cuál es el bueno ni cuál es el malo. Fuera desto usa el mundo más de los malos médicos que de los buenos, porque son los malos más baratos y son más los pobres que los ricos.

Como usan tantos de los ignorantes, son sin número los desaciertos. Por esta razón concibe el mundo tan grande odio contra la medicina que al médico bueno y al médico malo los mira como a verdugos. 5 Cierto que en parte merecen esta pena los buenos médicos, pues tienen parte de culpa de que se admitan al uso de la medicina tantos hombres que no eran buenos para albéitares. ¿Por qué no habían de reparar mucho los médicos doctos, los de la primera 10 clase, a quien está cometido el examen de todos, en los méritos de los que aprueban? ¿Cosa es tan sin precio la estimación del arte? ¿Cosa es de tan poca importancia la salud de los hombres que se pueda poner en las manos de unos echacantos? En faltando 15 la estimación a la facultad, falta un motivo grande para aprenderla; y fuera grande daño para el mundo que huyesen los hombres de ciencia que tanto importa. En cesando por mucho tiempo la salud de los hombres, cesan todos los buenos ejercicios de la Re- 20 pública; para todos los ejercicios están impedidas muchas personas por ser malos los médicos que las curan, disminúyense las rentas reales y llénanse de necesidades las familias.

Bien conozco que no pueden ser todos los médicos 25 insignes, porque para la veneración de los grandes ingenios pone Dios en cada facultad, cada siglo, muy pocos ingenios grandes. Si de lo mejor criara Dios mucho, tuviera muy poco precio lo mejor. Los hombres no saben hacer aprecio de las cosas exce- 30 lentes, en no siendo caras; por esto, al criar las cosas, mueve Dios la mano conforme a la condición de los hombres. Quiere Dios que se estime mucho lo muy bueno y hace de lo muy bueno muy poco porque se estime. No pueden ser grandes todos los médicos, pero fuera muy puesto en razón que se pusiera grande cuidado en que fueran bastantes.

El médico, en fin, que es médico, es digno de grande estimación porque es el conducto por donde Dios envía a los enfermos un bien tan precioso como la salud; es el instrumento de que usa la mano de Dios para hacer el mayor de los bienes corporales y es, en la tierra, como una cosa soberana que se anda haciendo vidas.

Si los romanos desterraron a los médicos, hicieron muy mal los romanos, porque la medicina es la salud de la República, es el consuelo de las enfermedades. Lo sanable lo sana, lo insanable lo pronostica, al que ha de vivir le libra de la enfermedad, al que ha de morir le hace sabidor de su muerte. Muy dignos son de reverencia y cariño los que a la vida le quitan los achaques y a la muerte le descubren las traiciones. Por la medicina, el que ha de vivir vive descansado y el que ha de morir muere atento. Pero es tan desgraciada esta facultad que no parece entendido el que no dice mal della, que no parece que escribe bien el que contra ella no escribe, que no parece gracioso el que a todas horas no la muerde y, en fin, no se tiene por buen moro el que no le da lanzada.

25 Parece que el *topos* de la crítica de los médicos llegó a su apogeo en el siglo XVII. Sobre el tema podrían consultarse José Goyanes, *La sátira contra los médicos y la medicina en los libros de Quevedo* (Madrid, 1934) y Agustín Albarracín Teulón, *La medicina en el teatro de Lope de Vega* (Madrid, 1954). Aunque podrían citarse *ad infinitum* ejemplos de esta crítica, el trozo de Quevedo que sigue reúne los rasgos más satirizados: «Si quieres ser famoso médico, lo primero linda mula, sortijón de esmeralda en el pulgar, guantes doblados, ropilla larga, y, en verano, sombrerazo de tafetán. Y en teniendo esto, aunque no hayas visto libro, curas y eres dotor; y si andas a pie, aunque seas Galeno, eres platicante. Oficio docto, que su ciencia consiste en la mula.—La ciencia es ésta: dos refranes para

Si los romanos echaron de sus límites facultad tan venerable sería porque Dios no lo enseña todo de una vez, que es muy rudo el mundo para doctrinarlo muy aceleradamente; no les habría descubierto la 5 importancia de qué es la medicina y desterraríanla como a cosa de ninguna importancia.

---

entrar en casa: el *¿Qué tenemos?* ordinario; *Venga el pulso;* inclinar el oído; *¿Ha tenido frío?...* Recetar lamedores, jarabes y purgas, para que tenga que vender el boticario y que padecer el enfermo.... Y para acreditarte de que visitas casas de señores, apéate a sus puertas y éntrate en los zaguanes y orina, y tórnate a poner a caballo; que el que te viere entrar y salir, no sabe si entraste a orinar o no.—Por las calles ve siempre corriendo y a deshora, porque te juzguen por médico que te llaman para enfermedades de peligro. De noche, haz a tus amigos que vengan de rato en rato a llamar a tu puerta en altas voces, para que lo oiga la vecindad: 'Al señor dotor, que lo llama el duque; que está mi señora, la condesa, muriéndose; que le ha dado al señor obispo un accidente.' Y con esto visitarás más casas que una demanda, y te verás acreditado y tendrás horca y cuchillo sobre lo mejor del mundo.—Para ser caballero o hidalgo, aunque seas judío y moro, haz mala letra, habla despacio y recio, anda a caballo, debe mucho y vete donde no te conozcan, y lo serás. *Libro de todas las cosas y otras muchas más, Obras completas,* ed. Luis Astrana Marín (3.ª ed., Madrid, 1945), pág. 108.

ERROR XXXV

Epicuro Gargecio decía que como le diesen agua y pan amasado con leche, entraría en contienda con todos los dichosos del mundo sobre cuál era más dichoso. Refiérelo Juan Estobeo en el Tesoro de las sentencias griegas, *en el capítulo de la continencia.* 5

Discurso

Este filósofo hizo una estatua al vicio de la flojedad en esta sentencia. Pasan los siglos venerándola y llévanse en la veneración el vicio. Antigua es también la flojedad del mundo, por huir del trabajo de discurrir, calificar la sentencia por la pluma y no la pluma por la sentencia. En adquiriendo un hombre mucha altura en una habilidad, se tiene por imposible la disminución. Los hombres no son como los montes 15

1 Este error y los dos que siguen faltaban en las dos primeras ediciones de los *Errores celebrados*.

6 «Epicuro Gargetius exclamabat: Cui parum non satis est, nihil sufficere potest. idem aiebat, cum quolibet Se de foelicitate certaturum, dummodo mazam & aquam haberet. Turget mihi prae voluptate corpusculum. Aqua & pane utor, at sumptuosas voluptatetes expuo, nõ tam ipsarũ causa, quàm Sequentiũ ipsas incommodorum.» *Sententiae*, sermón 17, «De continentia», págs. 158-159. Estobeo reconoce como su fuente Aeliano, *Varia historia* [IV, 13].

de la tierra que conservan siempre un tamaño. Como los montes del agua del mar son los hombres, que ya son montes y ya son fosos. Confieso que aquellos filósofos griegos escalaron muchas veces con sus sen-
5 tencias la cumbre de la verdad, pero también vi muchas veces sus palabras no sólo en las oscuridades de la incertidumbre sino en la deslucida claridad de engaños. Los hombres están entre el cielo y la tierra, y ya son tierra y ya son cielo. Muchas cosas dijo
10 Epicuro que parecen pedazos de sol. En ésta erró. Era la mitad de tierra. Muchos habrá que no crean que esta sentencia es suya, porque es tenido de casi todos por hombre vicioso: estaba siempre voceando el consejo del deleite. ¡Oh, amplísima jurisdicción de
15 la fortuna! ¡Hasta con el entendimiento se mete! Tuvo infelicidad en la penetración de sus palabras: los más creían que hablaba de los deleites corporales y hablaba de los interiores. Muchos están sin la fama de que son dignos porque no los entienden,
20 y muchos, porque los entienden mal, con mala fama. Volvamos al discurso.

Si este hombre tenía esta cortedad de todo lo necesario por virtud, precisamente había de tener por vicio a la moderación. ¿Qué caso se puede hacer
25 de sentencia que disfama una virtud y ensalza un vicio? No se puede dudar que no ignoraba que esta flaquísima poquedad era desdicha, pero juzgaba la desdicha más descansada que la del trabajo con que

---

8 Como ya mencionamos, aquí está la clave de su actitud ante los antiguos.

14 Herman Iventosch en su artículo «Quevedo and the Defense of the Slandered», en *Hispanic Review*, XXX (1962), 94-115; 175-193, discute los esfuerzos de Quevedo para rectificar la idea errónea de muchos que tomaban a Epicuro por libertino y glotón.

se adquieren los deleites corporales. Yo he conocido innumerables Epicuros en la corte. Unos hombres que de puro querer holgarse no se holgaban, que por el gusto de no hacer nada no se hacían gusto. Creía este griego que el espíritu más desembarazado de cuidados era el más bañado de delicias. En esto no pensaba mal. En lo que erraba era en pensar que el que se entregaba a la suma pobreza era el que tenía menos cuidados. Ninguna pasión acomete con tanta fiereza al corazón humano como la grande necesidad. ¿Por dónde hace pocos sus cuidados el que necesita de muchas cosas? Por este secreto se pudiera dar un tesoro. Si el necesitado duerme es de cansancio de estar necesitado. El pobre duerme y no descansa. El rico descansa aunque duerma poco. Siete horas de sueño en el suelo son veinte y cuatro de dolores. Nueve horas de buena cama con cuatro de sueño son un día de vida dichosa. Con poco bien se puede vivir, pero con nada, muy mal. Para adquirir poco el que no tiene nada, ha menester trabajar mucho. A los pobres les vende muy caro la fortuna.

Vamos, pues, a que este hombre por huir de las fatigas que cuesta la adquisición de los deleites exteriores se contentaba con el miserable descanso de la suma pobreza. Si por huir de un extremo se hubiera precisamente de dar en otro, se volviera desierto el campo de la medianía. Muchos hay que, prudentes, trabajan por lo necesario y, si el trabajo es más fértil, quedándose ellos con lo suficiente, desenconan con lo que no les hace falta las calamidades de algunos mal afortunados.

Los que han de dar en ociosos empiezan en filósofos. La actividad tibia se contenta con poco. Donde encuentra menos trabajo halla más conveniencia.

Oyen decir los perezosos que es vida muy puesta en razón la de corto apetito, miran su flojedad como perfección y hacen vanidad del defecto. Oyen también que lo necesario es fácil de hallar y tiénenlo por 5 tan fácil que lo esperan y no lo solicitan. Usan mal de la virtud de la templanza y éntranse en las desconsoladas calmas del ocio.

Sale el sol y el filósofo errado no sale de su informe cama. Entra en edad el día y él se está en 10 el error de su pereza. Llega la hora en que todos comen y a él no le llega más que el hambre de aquella hora. Despuéblanse las calles y él sale a la calle a ver si hay quien le sustente. Quiere que le adivinen la necesidad y nadie se la adivina. El pecho ajeno 15 le estudian muchos, el estómago ninguno. Tras la intención se va la atención; para la necesidad todos son divertidos. Dan las tres de la tarde y al vagamundo ayuno se le adelgaza el espíritu. Duélele la cabeza, las piernas no pueden sufrir el peso del 20 cuerpo, ábrensele mucho los ojos, sécasele la boca, entúrbiasele la vista y abréviasele el corazón. Desde esta estancia a la muerte hay poca distancia. El cielo, empero, por razones que no se nos comunican, le provee de quien le dé el alimento de aquel día. Un 25 milagro no ha de dejar esperanza de otro sino temor del estado que necesita de otro milagro. Los discretos, por las piedades del cielo, temen las crueldades. El que no aprende a enmendarse en el perdón se sujeta a grande castigo. El perezoso que come 30 milagrosamente piensa que el milagro es tinelo de los que trabajan y empereza más, como se persuade a que tiene tinelo. Come, en fin, todos los días con un prodigio diferente y los días le comen a él el vestido; ya llega la necesidad de un prodigio más grande, porque el remedio de aquella necesidad es más costoso. Las necesidades patentes parece que habían de ser más ligeras porque piden sin la boca del que las padece, pues son más pesadas. Piden en presencia del que las tiene y hallan sordos todos los ojos a quien piden. Una de las cosas que habían de meter a los baldíos en escarmiento es notar cuán poco se duelen los ricos de las necesidades que ven, infiriendo de aquí cómo se dolerán de las que no ven, quedándoles franca la retirada de no creerlas. La conmiseración no entra tanto por los oídos como por los ojos; si aún en los ojos no se pone bien la necesidad del prójimo, ¿cómo se pondrá en los oídos?

Hállase, pues, obligado a añadir su boca a las de su vestido y halla quien le dé otro más por el embarazo de negarlo que por la gana de concederlo. Ninguno da sin obligación vestido tan cabal que no haya menester el que le recibe otras ocho o diez piedades para llenar el número de vestidos y cada piedad solicitada cuesta muchas congojas. ¿Quién tiene tan fuerte el desahogo que, antes de llegar a pedir una vez, no se haya desmayado cuatro? No puedo creer sino que están locos los que se sujetan a este modo de vida. Hombre, o has de ser ingrato o agradecido: si has de ser ingrato, buscas tantos quejosos como bienhechores; si has de ser agradecido, no hay esclavo con tantos amos en el mundo. El pobre agradecido ha de padecer las burlas de sus bienhechores con agrado y sin desquite, los desaires con paciencia servil, los preceptos con prontitud alegre y los agasajos con humildad mendiga.

Luego, si este hombre que se contenta con poco y para este poco no hace nada, no tiene quien penda dél, vive en desconsoladísima soledad. Si tiene familia, pena desconsoladísimamente en sus lamentos. Para cuantas cosas malas aconseja la necesidad, da licencia a los suyos el que no les da lo necesario. Lo más que pueden hacer es no ser ruines, pero sin 5 milagro no podrán dejar de ponerse a ejercicios abatidos. Apártanse unos de otros, como las arenas que dejó secar el río que las había de cubrir, desparrámanse como arenas con quien juega el viento y esterilízase la caridad con las necesidades.

10 Muchos destos bribones piensan que alguna gracia o habilidad que tienen les ha de sacar del apretado puño de los otros todo lo que han menester, y se engañan. La piedra imán no le trae al que la tiene todo lo que quiere sino una migaja de hierro, una 15 pajilla y otras cosas leves que son de ninguna importancia. Más dan los hombres por el más vil trabajo que por la mayor habilidad del mundo, como no sea de su utilidad. Una noche de boda llevan al danzarín por alegría de la noche; si pensaran que le habían 20 de pagar no le llevaran. Tienen prevención para que sobre y llévanle para que no esté desocupado lo que sobra. Sírvense dél en la embriaguez del gusto y el día siguiente quisieran que no supiera la casa. Cítanse para un jardín unos holgones, reparten platos y, como 25 había de llevar un plato más, llevan un perdido que dice versos de repente por sola la costa de que sea cada plato muy poco menos. Danle asuntos que, con larga meditación, era muy digno de aplauso cumplir con ellos: él obra como sin cabeza y sin tiempo y ellos 30 quedan con lengua enfadada para el día siguiente. Con los tontos perdió, porque no dio qué admirar y, con los entendidos, porque se puso en manifiesto peligro de parecer tonto. Llega una noche de carnestolendas y concurren con más festivo ánimo que otras

los continuos de una casa de conversación y éntraseles por las puertas, para nadie cerradas, un tropelista, uno —digo— de estos que llaman jugadores de manos. Conócenle algunos y recíbenle todos agradables, que en algunos tiempos parecen los disparates precisos. 5
Convienen entre sí de pagarle entre todos y pídenle comedidamente que abra su habilidad. Él se rinde con alegría interior por la utilidad que espera. Saca la bolsa de hacer bobos, hace sus piezas y, con las más, enfada o por viejas o por frías. Admira con algu- 10
nas y lo más que negocia con las que admira es quedar sin estimación para siempre. Una locura les hizo hacer caso dél: pasóse la noche de la locura y no hicieron más caso. De ningún delirio sanan tan presto los mortales como del que les hizo sustentar perdidos. 15
Resuelven tres amigos hacer una peregrinación, esto es, ir a una holgura de las que tienen la devoción por pretexto. Saben que hay en el lugar un hombre que le hace imagen del que quiere en el semblante, en la voz y en la acción (a éstos llaman remedadores), y 20
por llevar muchos que los entretengan a poca costa llevan aquel uno. Él vacía todo su caudal en veinte y cuatro horas. Vuelven a sus casas con más gana de descansar del hombre que del camino y, después, cuando le encuentran, le miran como a hombre sin 25
caudal. Las habilidades en el que no tiene habilidad de estimarse, un rato son divertimiento y luego escarmiento.

El cielo no da nada de balde. Forzoso es trabajar mientras se vive. Si el hombre es rico tiene necesidad 30
de trabajar, y mucho, en el buen cobro de su hacienda y, si no, presto será pobre. El cuidado de los que

1 Los continuos: los que frecuentan.

manejan hacienda ajena es ver si la pueden hacer propia; si no pone grande cuidado, presto la verá ajena. Los ricos no han acabado de conocer su familia. Piensa el poderoso que con sustentar sus hijos y criados cumplidamente rodeó muy como debía su obligación. Engáñase. Un gran pedazo se le ha olvidado de su familia: los pobres que puede sustentar o con la superabundancia de su hacienda o con las ganancias que con ella hace. Dentro están aquellas necesidades de sus paredes. Más fácil le es a un rico ganar en un día para sustentar veinte pobres que a un pobre en veinte días acaudalar el sustento razonable de uno.

Buen partido tenía el enfermo pobre si el hacendado no estuviera ganando para él. El poderoso que no mira como a familia suya los necesitados, merece padecer las necesidades por todos. Discurra, madrugue, ande en hacer el negocio del pobre, que ése es su negocio. Muchos muy ricos trabajan mucho. Pero, ¿para qué trabajan? Para casar una hija con hombre de calidad excelsa. Natural es el apetito de la honra y, cuando los medios son lícitos, no es culpable; pero fuera bueno no soltarle la rienda. Búsquese este yerno de algo mejor orden; no se compre en tanto, por ser mucho, que queden los menesterosos huérfanos. No sean tan padres de sus hijos los ricos que dejen sin padre a los pobres; descuide al cielo de aquellas necesidades, que él cuidará de su posteridad. Trabajan también los ricos para fundar un mayorazgo muy sustancioso en su primogénito. No les puedo negar que son en la República adorno de grande hermosura los mayorazgos muy opulentos. La vanidad que produce aquella riqueza ocupa y sustenta muchos que quizá, sin aquello, o fueran muy malos o muy pobres.

Beneficio es, pero hácele un vicio; yo quisiera que le hiciera la virtud del que granjea. Providencia es de vista muy limpia (bien que de medida muy dificultosa) no dejar al hijo tan sobradamente acomodado que no le falte algo para cumplir con las obligaciones de 5 su estado preciso. Para llenar este vacío se ocupa. Porque tiene que hacer, no hace lo que no es de hacer. En una herencia no ha de ser todo riqueza; dicha es grande heredar tal cantidad de riqueza que sea menester acabarla con la virtud de algún ejercicio. Por 10 regalo habían de dejar los dichosos a sus hijos alguna necesidad arrimada a la hacienda: las mejores especias que se echan en lo que se ha de comer es trabajar en algo antes de comerlo. Con gastar el rico en el pobre le hace a su hijo esta necesidad medicinal. ¡Oh, 15 corazón piadoso y discreto el que a un tiempo está cuidando de no dejar a su hijo tan lleno de bienes que le hagan daño y de remediarle al pobre los daños que le hace su estrella!

En que el pobre tiene necesidad de trabajar no 20 puede haber duda, y plegue a Dios que le baste. Ahora, dice Epicuro, yo con pan y agua tengo harto. O quiere engañar o se engaña. No es alimento suficiente para un cuerpo humano el pan solo. No morirá de hambre si se come algunos días, pero morirá de 25 no comer más si le come muchos. Y doy que este hombre fuese de tal jugo interior que le bastase esta cantidad de vianda: las complexiones no hacen consecuencia. Lo que es mucho para unos es poco para otros; de la manera que todos los corazones no tienen 30 una medida, no tienen una condición todos los estómagos. Un enano se pasa con la cantidad de cuerpo que le quiso dar la naturaleza; pero si éste quisiese persuadir al mundo que era superfluidad todo lo que era más cuerpo, era doctrina de hombrecillo. ¿De qué enano se cuenta o se lee cosa de admiración? Crezcamos esto un poco más: de hombres muy pequeños son poquísimos los que han salido hombres grandes. A tan poca costa hizo pocas cosas de importancia la naturaleza. No porque uno se pueda pasar con casi nada de alimento ha de querer hacer casi nada a los otros. Los cuerpos muy hambrientos están de flaquísimas operaciones. Todas las cosas extremadas, y con extremo desiguales, son peligrosas. Del modo que el cuerpo muy abundantemente sustentado se sujeta con mucha dificultad al gobierno de la razón, el muy mal sustentado no la puede seguir. En un cuerpo casi muerto es milagro haber obra que parezca de vivo. Al que le parece que le basta cortísima comida también le parecerá que le basta poquísimo vestido, durísima cama y mal tapado aposento. Al principio le hará un poco de engaño la aprehensión, después la pena le hará desengaño. Tendrá hambre que le acerque a caer, tendrá frío que le haga temblar, tendrá quebrantamiento irreducible y falta de salud por la pobreza incurable. ¿A quién se le ha quitado la gana de comer con el ejemplar de que otros comían poquísimo? ¿A quién se le ha quitado el frío con pensar que basta poca ropa? En mala cama bien puede haber buen sueño, pero no sucederle buen día. En casa resquiciada bien se puede vivir, pero no sin achaques lastimadores.

Los que pensaron que a la vida le basta poco, de allí a poco apetecen mucho; quiérenlo hallar y no hallan medios y toman los que hallan. Para la comida delicada y copiosa, para el vestido hermoso y temporal, para la cama blanda y vana, para la casa reparada y honrosa es menester industria que valga tanto como ello vale. El ocioso sabe apetecer y no sabe acaudalar; hállase con gana y sin maña y éntrase por las malas mañas. Los más hombres malos se hacen de pobres que tienen gusto de ricos; de cuantos accidentes hay en el mundo, mueren de mejor gana que de la hambre de sus deseos. El pobre entendido es muy malo de domar; éste es el que hace sudar a la razón en vano.

La resolución de la suma pobreza no se toma sin entendimiento; en debilitándose la constancia queda la razón a luchar con una fiera.

Para haberse de destemplar en alguno de los extremos de la moderación, tengo por menos desacomodado y menos errado el de la codicia y ambición. El que quisiere conocer cuán miserable estado es el de los pobres sin oficio, note que llaman acomodarse al servir. ¡Grande es la desventura del que mira como a comodidad el ser criado! De criado a esclavo no hay más diferencia que no poder ser vendido. Los ejercicios de un criado y de un esclavo se llaman de una manera: «servir». En esta profundidad de miseria no caen los malos de espíritu ardiente; a muchos males se exponen, pero no a tan grandes males. El portugués Viriato empezó a ganar el sustento a guardar ganado; muy escaso era, pero suficiente. La quietud del ánimo tienen muy a mano los pastores, pero él no alargaba la mano: si se quería contentar con menos diera en ocioso. Para menor sustento que el de pastor, bastaba menor trabajo, y aquél es muy

---

24 Sobre Viriato pueden consultarse: Appiano, *Iberica*, 60-72; Amador Arraiz, *Diálogos* (nova ediçao, Lisboa, 1846), IV, esp. cap. 13, «Dos feytos do esforçado Viriato» y cap. 14, «Da morte, & louvores de Viriato». En *Os Lusíades* VII, V-VII Camoẽs esboza los detalles principales de la vida del héroe ibérico y su muerte por traición.

poco: diera en holgazán; apeteció más de lo que tenía, sin atender a la costa, y aplicóse a cazador. Mataba y comía, y de lo que comía le sobraba para dar a otros. Los que recibían le veneraban, y enamoróse de la estimación. Llenóse de ambición y codicia. Trabajaba mucho para dar y vender: vendía para sus menesteres y daba para sus aplausos. Con la estimación le creció la necesidad del adorno. Para adquirir más estimación fue necesario mayor caudal. La suya no bastaba para esto: fue forzosa otra aplicación. La que halló más luego su osadía fue la de hurtar en los caminos. Púsolo por obra. Aquí hacía unos agravios con alguna dulzura de beneficios. Lo primero, se hacía dueño de la vida y la hacienda del pasajero y luego le hacía donación de la vida y de alguna parte de la hacienda. Sus palabras eran altivas sin salirse de agradables; su semblante antes quitaba el susto que el caudal, y enviaba a los caminantes desnudos y agradecidos. La ligera capa del afeite de la clemencia quitaba lo horroroso a todo el cuerpo de su malicia. Temíanle los hombres y no le aborrecían. ¡Oh, hechizo grande el de la discreción! Los codiciosos y ambiciosos hacen del despeñadero camino. O perecen o andan mucho. Tanto anduvo por el despeñadero del latrocinio que, en breve tiempo, de capitán de ladrones se ilustró en general de soldados. El aire que está debajo de la tierra la hace temblar para salir. El aire de la ambición, que estaba en el corazón de Viriato, hizo temblar la tierra: ocupó a toda Lusitania: fue rey.

Balanceemos, ahora, estos dos extremos en que dieron estos dos hombres, que aunque para descubrir la ventaja no es menester la fatiga de cavar, pues basta el ligero trabajo de escarbar, no dejará de ser de alivio para el que lee dárselo hallado. Epicuro tenía por la mayor de las felicidades el matador sustento del pan y agua, dando igual peso al socorro de todas las demás necesidades. Viriato llegó a tener tanto que comer que ya para comer hubo menester la variedad. El filósofo tuvo necesidad de pedir, el 5 ambicioso no tuvo más necesidad que de dar. Éste daba a todos y aquél sólo daba mala enseñanza; tuvo muchos secuaces, tuvo escuela particular y colocó en altura de opinión su desatino. Ni el uno ni el otro es digno de ser imitado, pero el ansia de adqui- 10 rir tiene muchos mejores ratos que la pereza menesterosa. La suma pobreza tomada por Dios es alta virtud, pero abrazada por opinión humana es preámbulo para muchos y horribles vicios.

Ya el desafiador filósofo ha batallado con un dicho- 15 so inicuo y queda el holgazán en menos dichoso. Ahora ha de lidiar con otro que, rodeado de altísimas felicidades, se supo tener en el punto de la moderación, Elio Pertinaz. Este era natural de Italia, de tan humildes padres que, por huir de la indignidad de las 20 palabras que son menester para decir lo que fueron, nadie lo dice. Vivió con ellos todo el tiempo que debió obedecer y no supo eligir. Entró en la juventud, hallóse con espíritu mayor que su fortuna y siguió el dictamen de su espíritu. Los que crecen pobres no 25 pueden empezar vida ilustre que no sea barata. Los estudios son costosos o no son estudios. El que estudia sirviendo llega tan cansado al libro que sobre él se duerme. Para salir estudiante el que sirve o ha de tener un dueño que sea un prodigio de bondad o un 30

---

7 Aquél: 'esotro' en el original.

19 El cuadro que traza Zabaleta de Pertinaz corresponde en casi todos los detalles con lo que narra Dio, epítome del libro LXXIV. También puede verse *Pertinax* de Julius Capitolinus en *Scriptores Historiae Augustae.*

ingenio que sea prodigio. La entrada, en fin, que halló Pertinaz más fácil fue la de la guerra. Ésta suele ser de poca costa. La salida o cuesta la vida o es de grande honra. Empezó a servir en uno de los ejércitos del emperador Marco Aurelio. Aquí con los amigos era fino, con los conocidos discreto, con los reconcentrados político; cuando peleaba con los enemigos bárbaro; cuando gobernaba sosegado y astuto. Ganó muchas victorias; fuera rico con los trofeos, si no hubiera tenido tantas manos para darlos como para adquirirlos. Viéronse en él tantas prendas grandes que el emperador Marco Aurelio usó dél como de hombre muy necesario en la guerra y en la paz. Tuvo en el imperio los oficios de más trono. A solas las utilidades justas daba entrada en su casa y, muy luego, gloriosa salida. Fue uno de los amigos que le dejó a Cómmodo el emperador su padre, y fue de ellos el que dejó vivo su injusta condición o porque no se pudo vaciar de tanta veneración como infundían sus procederes o porque la cortedad de sus hacienda no le inflamaba la codicia, que era fuego que quería convertir en caudal suyo todo el caudal del mundo. Quitóle al fin la vida a Cómmodo su mala vida, que al abrigo desta disculpa le dieron la muerte manos traidoras. Para dar a entender que fue celo su odio, aclamaron a Pertinaz por emperador. A la vista desta elección quedó con lustre de virtud la alevosía. En tan pequeña casa halló a Pertinaz el laurel, que sólo el número de las alhajas le hacían grande.

¿Qué le queda, ahora, que hacer a Epicuro si no es pedir perdón a los que ha engañado?

---

17 Atestigua el interés de Zabaleta en la figura de Cómmodo su libro, *El emperador Cómmodo* (1666).

ERROR XXXVI

Antígono, rey de Macedonia, tenía en el número de sus bienvistos (que Erasmo llama amigos) a Aristodemo, hombre de entendimiento fácil, de labios dulces, de edad doctrinada y de corazón fino, pero notado de hijo de 5
un cocinero. Éste, lleno de amor de su rey, con la felicidad de ser de su gusto y con la ocasión de poderle hablar a todas horas, le dijo un día que se fuese a la mano en los gastos y en las dádivas, porque eran excesivos; y el rey le respondió con una risilla enfrenada y 10
mofadora: «Aristodemo, tus palabras huelen a razón.» En la lengua latina ius *significa razón y caldo, y como el rey le respondió en latín, cupo el equívoco de los dos sentidos, y en estos casos el sentido ofensivo es el de la intención. El hombre lo entendió y tomó por los oídos* 15
un grande golpe de fuerte veneno.

Discurso

Muy lejos está de la razón política el que para decir las cosas piensa que basta decirlas con razón. Muchos oídos hay en que no entran las proporciones 20
de la música, muchos a quien enfadan las proporcio-

nes. El aconsejador ha de ser llamado como el médico. Donde no es llamado, aunque haya que curar, enfada. Muchos se están muriendo y no lo sienten y, si se lo dicen, se ríen. Aconsejar donde no hay potestad y 5 obligación para hacerlo es irse inadvertidamente al mortal dolor de un desprecio. Majestad y amistad nunca andan juntas. Los reyes no tienen amigos sino amados y amantes: quieren y son queridos, pero nunca son amigos. Si tuviera amigo un rey, hubiera 10 dos reyes. No caben dos en una corona, no hay corona mayor que el ámbito de una cabeza. Al valido se la ponen muchas veces en las manos, pero no en las sienes. Descansan del peso, pero retienen el dominio. El agrado del rey no induce llaneza. Aun para 15 lisonjearle es menester tiento muy conocedor, ¿cuál será menester para aconsejarle? En las monarquías es oficio aparte aconsejar a los reyes; este oficio le tienen los consejos y cada consejero de por sí (del oficio sale el nombre); pero es menester advertir que 20 este oficio le crían los monarcas, con que sus advertimientos son pedidos y no brotados. Siendo esto así, a aquellos advertimientos escritos los llaman consultas, que quiere decir pedir consejo. Con tal cautela es menester tratar al juicio del príncipe en quien 25 ordinariamente hay menos años, poquísimos estudios, cortas y mal observadas experiencias. Lo que tienen de más en la dignidad quieren tener, si no son muy discretos, de mejor lugar en todas obras intelectuales. A quien el cielo diferenció tanto de los otros en el 30 cuerpo, creen que otro tanto le diferenció en el alma. Las advertencias las miran como a desacato y se burlan dellas como de inadvertencias; como están acostumbrados a que les alaben los vicios, tienen por gran clemencia mirar como a loco al que se los reprehende. Esto le pasó a Antígono, rey de Macedonia, con Aristodemo. El vasallo erró el estilo de palacio y el rey la lengua de la corona.

Lo que más desaparece las embriagueces de la felicidad es la modestia; sin ella no parece que está en juicio de hombre, el hombre rey. ¿Qué fama sacó Antígono de decirle aquella mortal pesadumbre a aquel hombre que le quiso meter con corazón leal en la senda de la razón? Quien la reprehensión sintió tanto, debía de amar mucho la lisonja. Éste es defecto de entendimiento muy oscuro. La lisonja es cuervo que saca los ojos y los cuervos nunca se atreven a ojos vivos, si no es a los de aquellos animales de carga que son tenidos por de menor entendimiento. No ha habido rey en el mundo de quien se hayan olvidado; por esto han menester los reyes mirar más por la buena fama que todos los demás hombres: reparen en que ha de llegar tiempo en que se les pueda perder el respeto sin peligro. Que hay amor propio para la posteridad no tiene duda: loca desesperación es no atender a la posteridad. Si los príncipes consideraran que, si son malos, han de andar en las historias amedrentando reyes y escandalizando naciones, miraran por el buen tratamiento de su memoria. Alta prudencia es cuidar del bien después, aunque sea el humano.

Doy que este hombre errase la ocasión, no erró la razón. En el sagrado de la verdad había de estar segura de la indignación real la ignorancia palaciega. La verdad, salga de la más vulgar boca, es divina y parece sacrilegio enojarse con la boca de que sale. Esto es cuando las verdades no son oprobios sino advertimientos. El golpe de una perla muy grande no puede ser grande golpe ni le debe suceder queja que se oiga, y más cuando se queda la perla con el herido.

En las palabras que enfadan y dejan utilidad se debe disimular el enfado. A quien se le aparece un tesoro se olvida del cansancio con el provecho. Nada debe ser más antiguo en la atención real que el disimulo. Por él ha de empezar su prudencia. El enojo del rey patente obliga a estragos o no será formidable el segundo enojo. De esta obligación o deste desprecio se sale con el disimulo. Al rey no le es lícito castigar con la lengua, porque toma facilidad y desaliño de lengua de hombre: y los reyes sólo han de parecer humanos para ser muy humanos. Entre las muchas razones que hay para que los reyes se vayan mucho a la mano en decir al vasallo palabras de desabrimiento es, una, los granos de veneno que toman. Pocos son en el mundo los que han oído en la boca de su rey palabras que le exprimen desabrido, que no hayan muerto de oírlas. El que no ha tenido el favor de su rey, en el mismo clima se halla cuando, por algún accidente, le descontenta; pero el que gozó de su gracia y repentinamente se le descantilla, repentinamente pasa su corazón a región sin aire y fallece. Los escorpiones con la facilidad de una mordedura matan, pero llevan el veneno en la lengua. Los reyes enojados, con el más leve golpe de la airada lengua, quitan una vida. Sepan los reyes que su enfado hace venenosas sus palabras; no hablen enfadados.

Veamos, ahora, qué le dijo Aristodemo a Antígono que le cansó tanto. Díjole que se fuese a la mano en los gastos y en las dádivas. En ambas cosas echó mucha verdad de la moral medicina. Pocas cosas

18 Exprimen en el sentido de 'muestran'.

hay más perniciosas en un reino que los gastos superfluos reales. Éstos nacen ya de la vanidad, ya de los entretenimientos. La familia de algunos reyes suele ser muy costosa por la multitud de los oficios superfluos y por la multiplicidad de los hombres en los oficios. De la muchedumbre resulta no estar puntualmente pagados, de la tardanza resulta queja, y pocas veces las lenguas quejosas son comedidas. Tanto tiempo sobra a los criados de estos príncipes que tienen los de las órdenes inferiores tiempo para aplicarse a otros ejercicios y, en ellos, proceden algunos en fe del amo que tienen, con libertad perniciosa, tan dificultosa de corregir como de llevar. En la casa real no se excusa largo número de criados, pero ha de ser el número que no se excusa. A las necesidades que se hicieron allá, en las estrellas, acuden los vasallos con fatiga, pero sin enojo; a las que se hacen acá abajo, acuden con queja que se sube al cielo. Que sustenten los vasallos a su rey por la administración de la justicia, muy como a su rey, es mucha razón; pero también es atención muy digna de un rey mirar mucho por los que con cariño de hijos le sustentan. Desperdiciar la hacienda de los hijos es culpa en los padres naturales; no es virtud en los príncipes desperdiciar la hacienda de sus vasallos que son sus hijos.

Los entrenimientos son muy costosos en algunos príncipes, mayormente cuando los príncipes tienen validos. El hechizo más disimulado de una privanza es la diversión del rey; para esto, a grande costa de la República, buscan e inventan raras cosas. Quien quiere a su príncipe más entretenido que fatigado, no le quiere. Que el descansar es tan necesario como el respirar no tiene duda, pero se ha de hacer tan sin cuidado como el respirar. Descansar no es más

que no trabajar, ni con el cuerpo ni con el alma. La naturaleza no hizo más descanso que el sueño para darle a entender al hombre cuan preciso es el trabajo. Al hombre vivo, para descansarle, le deja como
5 muerto. Dormido un hombre, ¿es más que una caliente imagen de un cadáver frío? El sueño más sano es el que más carece de sueños. No niego que, aun en salud no quebrada, hay representaciones de sueños en el sueño. Descansen los reyes con algunas
10 representaciones, pero con tan leve gasto que parezcan soñadas. Deben los reyes irse mucho a la mano en los gastos grandes de sus entretenimientos, porque en los demás hombres se les entra en casa por castigo de la prodigalidad la pobreza, pero la pobreza que
15 sigue a la prodigalidad de un rey no se entra en su casa sino en casa de los tristes vasallos que le han de mantener como a rey suyo. Pregunten los príncipes lo que cuesta un espectáculo venido de otras regiones y quizá no apetecerán el segundo. Gastan
20 mucho dinero en dejarse engañar; en pasando de una vez, no sólo no es prenda de gusto discreto sino mancha de la racionalidad. En las apariencias teatrales, para hacerles creer a los ojos un prodigio falso, les enturbian la luz verdadera. Quien ve que le
25 tapan los ojos, ¿no conoce que le quieren engañar? Casi en todos los hombres deja una holgura escarmiento para otra, por las descomodidades que causa; sólo en los reyes deja golosina, porque la gozan con intacta comodidad. Lo que no tiene a mano el fas-

4 Para Zabaleta todo descanso es ocio y todo ocio reprehensible; véase el caso de Símile en error VII.

19 Para una crítica de los excesivos gastos en el entretenimiento real, puede consultarse Martin Hume, *La corte de Felipe IV* (Barcelona, 1949), págs. 37-44.

tidio, tiene lejos la enmienda. Los hombres sabios han de descansar en holguras de niños. Los niños se entretienen con cosas que cuestan poquísimo; a muy poca costa han de ser los entretenimientos sabios. El discreto que no se toma cada día un rato de bobo no 5 sabe ser discreto. Muy dulce es el rato de bobear para el que no es bobo. A ningún discreto le falta este rato por la abundancia que hay de ignorantes, pero nadie tiene tan dentro de su casa este rato como los reyes, porque alimentan muchos graciosamente 10 delirantes sólo para la diversión. Quien menos ha menester peregrinos entretenimientos son los monarcas, por las cosas peregrinas que en su casa tienen; con reparar cada día en una, tienen entretenimiento para tantos días que puedan componer mil años. Las 15 pinturas y las estatuas están dulcísimamente hirviendo en vida sin achaques de vida, en duración muy desviada de la muerte. En un lienzo basto, en una piedra dura cuentan un pincel y un buril con tanta elegancia una historia que padecen los vivos que la 20 atienden sabrosa inmovilidad de piedra. Descubra la atención discreta lo que cubre el polvo.

La liberalidad es virtud tan de reyes como la mezquindad vicio de la plebe ínfima. Pero cuidado con que no descaezca de virtud. El precipicio en que más 25 fácilmente se rueda es desde liberal a pródigo. Tan regalado deja el humano corazón el hacer beneficios que, por hacer más, no sabe lo que se hace. Los reyes deben a muchos, pero a muchos dan más de lo que deben: de aquí resulta dar poco o nada a los 30 que deben mucho. Uno de los mayores gastos que

30 Esta crítica de la prodigalidad de los reyes ya se había visto en el caso de Darío, error XX.

tienen los reyes son los validos, si no son muy desinteresados y hay pocos corazones deste temple. Cualquier obra suya toma derecho de servicio grande; el beneficio de la fortuna del príncipe le convierten
5 en mérito propio; para pagar estos tan ponderados méritos se disponen unas ayudas de costa y se inventan unos oficios que dan mucho que gemir a la República. No se niega que no puede haber algunos validos buenos, pero no es bueno aventurar cosa en
10 que va tanto. Aun eligiendo hombre de costumbres muy derechas no es la elección segura, porque es estado en que se muda fácilmente de costumbres. ¡Oh, si hubiera quien informara a los monarcas de edad nueva de peligro tan grande! Los libros solos
15 pueden hacerlo; mas ellos no se aplican a estos libros. Consideren los reyes que lo que dan a unos se lo quitan a otros; y es menester que sea tan grande el mérito de los que reciben que se lo deban los que lo pagan. De nada ha de ser mezquino un rey si no
20 del dinero de sus vasallos. Para llegar a cada moneda suya ha de ser menester empujón de grande necesidad. El mejor erario que tienen los príncipes es el caudal descansado de los súbditos. En el erario real, a todo buen suceder, no hallan más que dinero
25 y en este otro erario hallan dinero y amor. Siempre que los monarcas gastan en lo que se podía excusar gran parte de la sustancia de los hombres a quien rigen, cuando la van a buscar para lo inexcusable, hallan poco más que el aire de los suspiros. Cuando
30 los príncipes disparan para cada cosa un tributo, el favor del dinero los hace más crueles. Tres irracionales hay que son tenidos por reyes: el águila en el

---

12 ¿Sería Olivares el blanco de esta crítica de los validos?

aire, el león en la tierra, el delfín en el agua. Estos solos se cree que comen carnes vivas. Aquel vivo calor que juntan con el suyo los hace insaciablemente voraces. Mueren casi siempre de apoplejía. Si algunos príncipes cristianos enfermasen desta voracidad, estarían sus almas muy a riesgo de morir de apoplejía de hombres vivos. ¡No lo permita Dios!

ERROR XXXVII

Preguntóle un amigo suyo a Sócrates que por qué no escribía libros y él respondió que por no encarecerles el papel a los que los habían de escribir. Refiérelo Erasmo y añade que no escribió libro alguno este hombre por parecerle que la abundancia de los libros hacía daño al estudio de la sabiduría.

Discurso

No sé cómo entienda esta respuesta de Sócrates, si la mire como a chanza o como a dictamen. Que fuese irrisión de la pregunta no se puede inferir ni de la condición de su estado ni de su condición. Sócrates, por su singular entendimiento, era visitado

---

7 LXXXVIII. «Litteras quas vulgus putat repertas juvandae memoriae, dixit vehementer officere memoriae. Olim enim homines si quid audissent dignum cognitu, non libris sed animo inscribebant: hac exercitatione confirmata memoria facile tenebant quicquid volebant: & quod quisque sciebat, habebat in promptu. Post reperto litterarum usu, dum libris fidunt, non perinde studuerunt animo infigere quod didicerant. Ita factum est, ut neglecto memoriae cultu, minus vivida esset rerum cognitio, & pauciora quisque sciret: quandoquidem tantum scimus, quantum memoria tenemus.» Erasmo, *Apophtegmata*, III, lxxxviii, en *Opera omnia*, *op. cit.*, pág. 164.

de lo mejor de la ciudad en que vivía; él era hombre de utilísimas enseñanzas, casi de la suerte última. Su oficio había sido cantero, su opinión primera de monedero falso, su conciencia no tan sosegada que no le obligase a dejar su tierra y su discreción muy 5 desembarazada. La pregunta no merecía respuesta despreciadora, porque era como darle quejas en nombre del mundo de que un hombre de entendimiento tan feliz esterilizase con la flojedad su entendimiento. Luego la calidad del autor de la pregunta en tan 10 inferior calidad parece que estaba fuera de los términos del desacato, aunque la ignorancia muchas veces se atreve a dar un pesar a la razón. El que estaba tan exceptuado de ignorancias no se atrevería a darle a la razón esta mohína. Lo que, según mi juicio, 15 quiso decir fue que no escribía por no encarecerles el papel a los que habían de escribir con más acierto del que él de sí se prometía. Muy amable virtud es la humildad; pero ésta, si por pensar que no había de valer nada lo que hacía, no hiciese nada, se con- 20 vertiría en el vicio de la flojedad. El humilde discreto no ha de pensar que hace algo en lo que hace, pero ha de hacer algo y con eso hará mucho. La desconfianza trabajadora siempre es virtud y luego como piensa que no hace nada, afirma mucho la 25 atención y hace más de lo que piensa. El elemento más humilde es la tierra; pisoteada está no sólo de los hombres sino también de los brutos, y ésta que tan poco se tiene en estima es el elemento de más utilidades. El fuego elemental, en dejando de ser la 30 cuarta parte de una vida, no le sirve a la vida de nada. Oímos decir que hay una región de fuego, mas della no vemos que baje cosa alguna. Que hueco es el aire, y lo más que tenemos dél son algunos —muy

pocos— pájaros de alimento sabroso; otros y pocos de sabor no fastidioso, pero de enferma nutrición; algunos que cantan muy bien, pero éstos muchas veces fastidian porque cantan cuando ellos quieren y
5 no cuando se lo mandan. Las cosas de gusto han de caer sobre gusto y, si no, hacen mayor la mohína. Y, en fin, innumerables que graznan y hurtan. El agua se extiende sobre la tierra con vanidad de cielo; porque le retrata, piensa que iguala, y le debe a la
10 tierra lo que el espejo al estaño. No pareciera el vidrio hombre, si no le hiciera otra cosa espaldas. No pareciera cielo el agua, si no le hiciera espaldas la tierra. Todos los que son algo se deben a otra cosa y ellos piensan que la fortuna les debe. La merced
15 que hace el agua a los hombres es serles estorbo a sus aprovechamientos. Por ella han menester fiar la vida de un bajel que tiene más figura de sepultura que de casa. Tan incierta es la vida de los que navegan que no se sabe si se han de contar entre los
20 vivos o entre los muertos y, si yo hiciera la cuenta, no los metiera entre los vivos. Como alimento de sus peces mira el agua a los hombres: más hombres han comido los peces que peces los hombres. Los que piensan que el agua nos regala, se engañan. El
25 mejor pez suyo sólo es lisonja del paladar, verdaderamente lisonja, pues lleva el veneno debajo. En pasando al estómago es veneno. De los animales que cría el agua, hizo alimento o la necesidad o la virtud; aquélla porque viva el hombre, ésta por adelgazarle
30 para el cielo. Siendo esto así, no hay quien se averigüe con el agua; con poco aire que la enoje se sube a escupir a la cara al cielo. La humildad de la tierra es la loable, que haciendo tan incomprehensible número de cosas buenas las maneja como con recelo de

imperfecciones. ¿Puede haber obra como la de un diamante? Y le mete en un guijarro, como con vergüenza de haberle hecho. Al oro le trae o en agua barajado con la arena o en los senos de los montes con las oscuridades. Las rosas, que son la hermosura, 5 el regalo, la salud del hemisferio, se cuelgan de tal manera de las varas que las brotan, que parece que se descuelgan para esconderse otra vez en las lobregueces de donde salieron. Con tal miedo echa las plantas a los ojos de los hombres, por si no les con- 10 tentan, que las va elevando a migajas. A los brutos los empieza pequeños, incautos, inocentes para que sean o fáciles de extinguir, si son de casta feroz, o fáciles de educar, si son de casta útil.

La humildad ha de ser laboriosa y, si no, echará 15 a perder la humildad las repúblicas. Si por no encarecerles el papel a sus contemporáneos no hubiera escrito Aristóteles, estuvieran las ciencias y las artes con luz muy escasa. Si porque escribía San Jerónimo no hubiera escrito San Agustín, no fuera tan rico el 20 caudal de las ciencias. En Santo Tomás de Aquino no pudo faltar humildad, porque no fuera santo si le faltara, y escribió tanto y tan alto que es una de las lámparas muy grandes de la Iglesia. Uno de los argumentos que hay grandes del grande entendimiento 25 de Sócrates es que supo poner debajo de la sombra de una virtud el vicio de su flojedad.

El camino que hay más derecho para saber es enseñar; más aprende el que enseña en un día que en ciento el que aprende y no enseña. El que estu- 30 dia hoy lo que ha de enseñar mañana tiene el mayor maestro; éste es el mayor cuidado. Los que aprenden para sí solos, como tienen cumplido consigo, no se fatigan. Los que han de cumplir con los oídos del mundo se entregan a todo sudar al trabajo de saber. No sabe mucho quien no desea saber más. Quien estando en graduación de poder escribir algo no lo hizo, no quiso saber lo que había de escribir.

5 Pero demos que este filósofo creyese que sabría más estudiando cada día cosas nuevas que gastando un día en escribir lo que había estudiado otro, ¿no era crueldad patente esconderle al mundo, pobre de sabiduría, los socorros de la suya? A esto me dirán 10 que debía de ser tan modesto que no creía de sí que podía lo que podía. Muchos hombres hay que tienen cortísima noticia de las excelencias de sus habilidades, pero esto dura lo que tardan en hacerlas públicas; entonces, de los otros saben de sí: en la esti- 15 mación ajena ven el mérito propio. Los aplausos nacen de la admiración, la admiración nace de las cosas extrañamente buenas. El admirado y el aplaudido bien conocen que la eminencia de su dotación causa aquellos efectos. De superior a inferior toda alabanza 20 es dictamen. La lisonja sabe bien, pero no sabe persuadir. El lisonjeado nunca está cierto de su merecimiento. El corazón humano tiene enemistad natural con la mentira. El lisonjeado no queda satisfecho. En creyendo el corazón la alabanza es la mayor parte 25 verdadera. En llegando a este estado aquellos que ignoraban la riqueza de las habilidades propias, excede la confianza a las habilidades y entra la obligación de comunicarlas o faltará a la obligación de humano. ¿Qué desdicha hubiera como nacer hombre, 30 si no nacieran todos los hombres obligados al socorro de los otros hombres? No hay criatura inferior que no necesite de otra criatura. En los brutos, pocas veces de su especie, muchas de otra. Los racionales necesitan de los de su especie siempre, casi siempre

de los de las otras especies. Sin hombre, no hay hombre. Sin hombre que ayude, no hay hombre que dure. De los brutos mansos tienen necesidad los hombres para su servicio, de los bravos para su venganza. Sin un caballo reventará un rico, sin un jumento 5 trabajará mal un pobre. En los brutos bravos hay unos atributos que sobre la racionalidad fueran virtud y, sin ella, son escuela para los que debían saber aquello, sin maestros tan bastos. Los conocimientos que da el cielo a los brutos no son más que repre- 10 hensiones del hombre: para conservar criaturas tan bajas parece que no era menester tan alta providencia. Siendo, pues, así, que los hombres necesitan de todas las cosas, es preciso socorrerlos de aquello en que abunda cada hombre. Del dinero, dinero; la pie- 15 dad, alivio; ciencia, la ciencia.

Cuando todas estas razones faltaran, el hombre después había de obligar a señalarse al hombre. El apetito de la posteridad es natural. Éste tiene dos miras: los hijos y la fama. En los hijos no deja el 20 hombre más que el nombre, porque allí hay rara vez retrato del hombre. Los hijos casi nunca sacan los atributos de los padres ni las imperfecciones. El valiente no engendra valiente, ni el cobarde, cobarde. El sabio no engendra sabio, ni el necio, necio. El 25 hombre no toma del hombre más que la especie. En las propiedades, todos parecen hijos de los que no son sus padres. A sus padres es a quien menos se parecen los hijos. La naturaleza no quiere hacer una cosa como otra por hacer siempre otra cosa. En 30 la especie que más se diferencia es en los hombres, porque quiso hacer mayor esta especie. Mintiera el número si no fuera cada hombre de su manera. Si cada linaje fuera de una manera, fuera corto el número; se contaran por condiciones, no por individuos. En los brutos no hizo la naturaleza más que uno de cada especie, porque toda aquella especie es aquel uno. Los leones todos son de una condición, las águi-5 las todas son de una. Cada hombre produce hombre diferente. Sólo un hombre produce el hombre a él semejante. Éste es el que hace con su pluma. En cada hijo piensa un hombre que revive, porque en cada hijo revive su nombre. La propagación de los 10 escritos es de mejor calidad, porque no sólo revive en ellos el nombre sino el hombre. Eso tiene de hombre cada racional, lo que tiene de entendimiento. En los escritos revive el entendimiento; ¿luego son mejor generación que donde el entendimiento no revive? 15 La fábrica del hombre cae como todas las demás fábricas del mundo, pero quédale al hombre que escribe una medida de lo que fue, como a alguna de las otras, una medida. Desplómase un edificio altísimo: hace ahogadiza la tierra, la tierra que fue 20 hermosura prodigiosa del aire. Queda tal vez una columna entera y, por ella, se saca la altura que tuvo aquel edificio. Entre las ruinas del hombre, las que conservan su medida son sus escritos.

Veamos, ahora, si cuando ninguna de las razones 25 antecedentes obligara a escribir a Sócrates, le obligara la posteridad ajena, y a mi parecer le obligaría. Los que sirven en la guerra o se quedan en ella o vienen a los oficios en que se cuida de la guerra en la paz, tan roída la salud y tan marchita la edad 30 que sólo en morirse se les va el tiempo. Lo que deben los que están en la paz a los que están en la guerra es tanto que o habían de ir ellos a hacer lo que ellos hacen o padecer, o esclavitud de muerte o esclavo vasallaje. Los soldados de bien, por hacer larga la vida de su patria, hacen la suya corta. Entre venenos y fatigas guardan la vida para un golpe; su muerte no hace más estruendo que el que hizo el golpe que les dio la muerte. Su mira, en su vida, sólo fue la buena fama. Ellos supieron merecerla pero 5 no hacerla. Quien la sabe hacer debe labrarla. Los hombres de pluma elocuente están obligados a la inmortalidad de la espada briosa. ¿Qué fuera de los muertos honrados si no quedaran discretos vivos? El vulgo alto y bajo sólo estima al hombre mientras 10 vive; a lo que no es, lo miran como si no hubiera sido. Nada ven menos los hombres debajo de tierra que a los muertos. Veinte estados debajo dellas divisan la plata; una fama sepultada no la divisan porque hay un palmo de tierra encima. Carga es de 15 los hombres hábiles para escribir, escribir. Las alabanzas meten a los que bien sirvieron a la patria entre los bienaventurados del suelo. El que tiene autoridad de hacer buena fama, debe hacerla, o es matador del segundo hombre que engendró en sus obras el hombre 20 insigne. Parece que estoy oyendo decir que Sócrates no fue inclinado a la historia sino a la filosofía moral y tan inclinado que se piensa que fue el que la empezó. Parecióle que la filosofía natural era entretenimiento, no provecho, y pasóse a la que era pro- 25 vechoso trabajo. Intentó formar las costumbres del mundo de manera que quedasen hermosas. Sus obras fueron sus primeras palabras; sus palabras sus segundas obras. Mucho enseñó con el ejemplo y los labios, pero cátedra que se acaba con la vida es de 30 corta duración: sonle discípulos pocos años pero no muchos siglos. Más siglos tiene por discípulos el que enseña escribiendo que discípulos hombres el que enseña hablando. Nada hubo tan de la inclinación

de Sócrates como la historia, por ser el imán de las sentencias. Sobre lo que erraron unos se discurre para que acierten otros. Los aciertos pasados, puestos a la luz de la pluma maestra, producen muchos acier-
5 tos. Hirviendo está en hombres grandes un hombre grande, si los sabe sacar de aquel seno observante pluma.

¿Cuántos grandes soldados se habrán hecho con la historia de un gran soldado? ¿Cuántos santos
10 grandes con la historia de un gran santo? Si con cuatro sentencias que dijo, tiene Sócrates absorto el mundo, con muchas que en la historia hubiera entretejido, ¿cómo le tuviera doctrinado? Culpa fue no tomar la pluma en el que sabía hacerla correr vir-
15 tudes que bañasen todas las edades.

Entremos, ahora, en la conjetura de Erasmo. Discurrió en que Sócrates no había escrito libro alguno por parecerle que la muchedumbre de los libros hacía daño a la sabiduría. Sin saber lo que quiere decir la
20 palabra sabiduría no se puede entender esto. Sabiduría y filosofía moral viene a ser todo uno, pero tan en lo oscuro se queda en filosofía moral como en sabiduría. Filosofía moral quiere decir afición al conocimiento de las virtudes, al regimiento prudente
25 de vida ajustada. Éste se adquiere con el dictamen de la razón y se pule con libros maestros. Que los muchos libros son distracción amena del entendimiento no tiene duda y travesura de la buena atención.

30 Los libros a unos los han hecho sabios y a otros los han hecho locos. Los que leen más de lo que pueden digerir se ahitan y, de la manera que en los

7 En estas pocas líneas Zabaleta justifica el propósito de su libro.

estómagos es mejor el hambre que la plenitud, es mejor la necesidad que el demasiado peso. Si por esta razón dejaran de escribir los que pueden y saben hacerlo, era lo mismo que acusar a la naturaleza de que había hecho más regalos simples y dado materia para más regalos compuestos de los que puede desbaratar el estómago racional más feliz.

La naturaleza no crió los alimentos para que se usase de todos sino para que se eligiese entre todos. Sus liberalidades fueran venenos si diera para sus liberalidades suficiente caudal y universal apetito; ninguno puede todo lo que apetece y ninguno apetece todo lo que puede; cada paladar tiene su inclinación y cada hombre su racionalidad. Tan necesario es muchas veces el desahogo del apetito de un alimento como el mismo apetito. El divertimiento de una afección pone moderación en ella. Para la templanza sirve muchas veces la abundancia. Para descansar de un libro es menester otro. En la filosofía moral un libro se ha de tener como maestro, los otros como condiscípulos; de aquél se aprende, estos otros se oyen. El hombre discreto elija el libro de que más gustare; séale aquél, maestro, los otros, conversación, y todo es provecho.

ÍNDICE

Páginas

ÍNDICE DE AUTORES

DE LA

COLECCIÓN CLÁSICOS CASTELLANOS

BRETÓN DE LOS HERREROS (MANUEL):

92 MUÉRETE ¡Y VERÁS! EL PELO DE LA DEHESA. Edición, prólogo y notas de Narciso Alonso Cortés.

CADALSO (JOSÉ):

112 CARTAS MARRUECAS. Edición, prólogo y notas de Juan Tamayo y Rubio.

152 NOCHES LÚGUBRES. Edición, prólogo y notas de Nigel Glendinning.

CALDERÓN DE LA BARCA (PEDRO):

69 AUTOS SACRAMENTALES, tomo I: *La cena del Rey Baltasar. El gran teatro del mundo. La vida es sueño.* Edición, prólogo y notas de Ángel Valbuena Prat.

74 AUTOS SACRAMENTALES, tomo II: *El pleito matrimonial del Cuerpo y el Alma. Los encantos de la Culpa. Tu prójimo como a ti.* Edición, prólogo y notas de Ángel Valbuena Prat.

106 COMEDIAS RELIGIOSAS: *La devoción de la Cruz. El mágico prodigioso.* Edición, prólogo y notas de Ángel Valbuena Prat.

137 COMEDIAS DE CAPA Y ESPADA: *La dama duende. No hay cosa como callar.* Edición, prólogo y notas de Ángel Valbuena Briones.

138 LA VIDA ES SUEÑO. EL ALCALDE DE ZALAMEA. Edición, estudio y glosario de Augusto Cortina.

141 DRAMAS DE HONOR, tomo I: *A secreto agravio, secreta venganza.* Edición, prólogo y notas de Ángel Valbuena Briones.

142 DRAMAS DE HONOR, tomo II: *El médico de su honra. El pintor de su deshonra.* Edición, prólogo y notas de Ángel Valbuena Briones.

CAMPOAMOR (RAMÓN DE):

40 POESÍAS. Edición, introducción y notas de Cipriano Rivas Cherif. Prólogo de Félix Ros.

CASCALES (FRANCISCO):

103 CARTAS FILOLÓGICAS, tomo I. Edición, introducción y notas de Justo García Soriano.

117 CARTAS FILOLÓGICAS, tomo II. Edición, introducción y notas de Justo García Soriano.

118 CARTAS FILOLÓGICAS, tomo III. Edición, introducción y notas de Justo García Soriano.

CASTILLEJO (CRISTÓBAL DE):

72 SERMÓN DE AMORES. DIÁLOGO DE MUJERES. Edición, prólogo y notas de Jesús Domínguez Bordona.

79 OBRAS DE AMORES. OBRAS DE CONVERSACIÓN Y PASATIEMPO. Edición, prólogo y notas de Jesús Domínguez Bordona.

88 OBRAS DE CONVERSACIÓN Y PASATIEMPO (conclusión). AULA DE CORTESANOS. Edición, prólogo y notas de Jesús Domínguez Bordona.

91 OBRAS MORALES. OBRAS DE DEVOCIÓN. Edición, prólogo y notas de Jesús Domínguez Bordona.

CASTILLO SOLÓRZANO:

42 LA GARDUÑA DE SEVILLA Y ANZUELO DE LAS BOLSAS. Edición, prólogo y notas de Federico Ruiz Morcuende.

CASTRO (GUILLÉN DE):

15 LAS MOCEDADES DEL CID. Edición, prefacio y notas de Víctor Said Armesto.

CERVANTES (MIGUEL DE):

4 DON QUIJOTE DE LA MANCHA, tomo I. Edición, prólogo y notas de Francisco Rodríguez Marín.

6 DON QUIJOTE DE LA MANCHA, tomo II. Edición, prólogo y notas de Francisco Rodríguez Marín.

8 DON QUIJOTE DE LA MANCHA, tomo III. Edición, prólogo y notas de Francisco Rodríguez Marín.

O DE):
LOS CATALANES Y ARAGONESES CONTRA TURCOS
ción, introducción y notas de Samuel Gili Gaya

E DE):
DE LA DIANA. Edición, prólogo y notas de Fran
rada.

F. DE):
VA O EL CAFÉ. EL SÍ DE LAS NIÑAS. Edición
de Federico Ruiz Morcuende.

EGO. EL DESDÉN CON EL DESDÉN. Edición, pró
Narciso Alonso Cortés.

N EUSEBIO):
ión, prólogo y notas de Narciso Alonso Cortés.

DE):
omo I. Edición, prólogo y notas de José María
mo II. Edición, prólogo y notas de José María

ERNÁN):
EMBLANZAS. Edición, introducción y notas de
Bordona.

EL):
E CASTILLA. Edición, introducción y notas de
Bordona.
MINGO REVULGO. Edición, prólogo y notas de
Bordona.

ntroducción y notas de Luis Guarner Pérez.

DE):
. Edición, advertencia y notas de Américo
Edición, introducción y notas de Julio Ceja-
II. Edición, introducción y notas de Julio
FESTIVAS. Edición, introducción y notas de
ría.

EL):
ólogo y notas de Narciso Alonso Cortés.

Edición, introducción y notas de Cipriano
Edición, introducción y notas de Cipriano

I. Edición, introducción y notas de Julio
II. Edición, introducción y notas de Julio

UNO. ENTRE BOBOS ANDA EL JUEGO. Edición,
Federico Ruiz Morcuende.
AR. LA VIDA EN EL ATAÚD. Edición, prólogo
d R. MacCurdy.

10 DON QUIJOTE DE LA MANCHA, tomo IV. Edición, prólogo y notas de Francisco Rodríguez Marín.
13 DON QUIJOTE DE LA MANCHA, tomo V. Edición, prólogo y notas de Francisco Rodríguez Marín.
16 DON QUIJOTE DE LA MANCHA, tomo VI. Edición, prólogo y notas de Francisco Rodríguez Marín.
19 DON QUIJOTE DE LA MANCHA, tomo VII. Edición, prólogo y notas de Francisco Rodríguez Marín.
22 DON QUIJOTE DE LA MANCHA, tomo VIII. Edición, prólogo y notas de Francisco Rodríguez Marín.
27 NOVELAS EJEMPLARES, tomo I: *La Gitanilla. Rinconete y Cortadillo. La ilustre fregona.* Edición, prólogo y notas de Francisco Rodríguez Marín.
36 NOVELAS EJEMPLARES, tomo II: *El Licenciado Vidriera. El celoso extremeño. El casamiento engañoso. Novela y coloquio que pasó entre Cipión y Berganza.* Edición, prólogo y notas de Francisco Rodríguez Marín.
125 ENTREMESES. Edición, prólogo y notas de Miguel Herrero García.
154 LA GALATEA, tomo I. Edición, introducción y notas de Juan Bautista Avalle-Arce.
155 LA GALATEA, tomo II. Edición, introducción y notas de Juan Bautista Avalle-Arce.

CUEVA (JUAN DE LA):
60 EL INFAMADOR. LOS SIETE INFANTES DE LARA. EJEMPLAR POÉTICO. Edición, introducción y notas de Francisco A. de Icaza.

ESPINEL (VICENTE):
43 VIDA DE MARCOS DE OBREGÓN, tomo I. Edición, prólogo y notas de Samuel Gili Gaya.
51 VIDA DE MARCOS DE OBREGÓN, tomo II. Edición, prólogo y notas de Samuel Gili Gaya.

ESPRONCEDA (JOSÉ DE):
47 POESÍAS. EL ESTUDIANTE DE SALAMANCA. Edición, prólogo y notas de José Moreno Villa.
50 EL DIABLO MUNDO. Edición, prólogo y notas de José Moreno Villa.

FEIJOO (PADRE):
48 TEATRO CRÍTICO UNIVERSAL, tomo I. Selección, prólogo y notas de Agustín Millares Carlo.
53 TEATRO CRÍTICO UNIVERSAL, tomo II. Selección prólogo y notas de Agustín Millares Carlo.
67 TEATRO CRÍTICO UNIVERSAL, tomo III. Selección, prólogo y notas de Agustín Millares Carlo.
85 CARTAS ERUDITAS. Selección, prólogo y notas de Agustín Millares Carlo.

FERNÁNDEZ DE HEREDIA (JUAN):
139 OBRAS. Edición, prólogo y notas de Rafael Ferreres.

FERRÁN (AUGUSTO):
164 OBRAS COMPLETAS. Edición, introducción y notas de José Pedro Díaz.

FORNER (JUAN PABLO):
66 EXEQUIAS DE LA LENGUA CASTELLANA. Edición, introducción y notas de Pedro Sainz y Rodríguez.
168 LOS GRAMÁTICOS. HISTORIA CHINESCA. Edición, introducción y notas de José Jurado.

GARCÍA GUTIÉRREZ (ANTONIO):
65 VENGANZA CATALANA. JUAN LORENZO. Edición, prólogo y notas de José R. Lomba y Pedraja.

GIL POLO (GASPAR):
- 135 DIANA ENAMORADA. Edición, prólogo y notas de Rafael Ferreres.

GIL VICENTE:
- 156 OBRAS DRAMÁTICAS CASTELLANAS. Edición, introducción y notas de Thomas R. Hart.

GRACIÁN (BALTASAR):
- 165 EL CRITICÓN, tomo I. Edición, introducción y notas de Evaristo Correa Calderón.
- 166 EL CRITICÓN, tomo II. Edición, introducción y notas de Evaristo Correa Calderón.
- 167 EL CRITICÓN, tomo III. Edición, introducción y notas de Evaristo Correa Calderón.

GRANADA (FRAY LUIS DE):
- 97 GUÍA DE PECADORES. Edición, prólogo y notas de Matías Martínez Burgos.

GUEVARA (FRAY ANTONIO DE):
- 29 MENOSPRECIO DE CORTE Y ALABANZA DE ALDEA. Edición, prólogo y notas de Matías Martínez Burgos.

HARTZENBUSCH (JUAN EUGENIO):
- 113 LOS AMANTES DE TERUEL. LA JURA EN SANTA GADEA. Edición, introducción y notas de Álvaro Gil Albacete.

HERRERA (FERNANDO DE):
- 26 POESÍAS. Edición, introducción y notas de Vicente García de Diego.

IRIARTE (TOMÁS DE):
- 136 POESÍAS. Edición, prólogo y notas de Alberto Navarro González

ISLA (JOSÉ FRANCISCO DE):
- 148 FRAY GERUNDIO DE CAMPAZAS, tomo I. Edición, introducción y notas de Russell P. Sebold.
- 149 FRAY GERUNDIO DE CAMPAZAS, tomo II. Edición, introducción y notas de Russell P. Sebold.
- 150 FRAY GERUNDIO DE CAMPAZAS, tomo III. Edición, introducción y notas de Russell P. Sebold.
- 151 FRAY GERUNDIO DE CAMPAZAS, tomo IV. Edición, introducción y notas de Russell P. Sebold.

JOVELLANOS (GASPAR MELCHOR DE):
- 110 INFORME SOBRE LA LEY AGRARIA. ESPECTÁCULOS Y DIVERSIONES PÚBLICAS, primera parte. Edición, introducción y notas de Ángel del Río.
- 111 ESPECTÁCULOS Y DIVERSIONES PÚBLICAS, segunda parte. MEMORIA SOBRE EDUCACIÓN PÚBLICA. DEFENSA DE LA JUNTA CENTRAL. Edición, introducción y notas de Ángel del Río.
- 129 MEMORIA DEL CASTILLO DE BELLVER. DISCURSOS. CARTAS. Edición introducción y notas de Ángel del Río.

LARRA (MARIANO JOSÉ DE):
- 45 ARTÍCULOS DE COSTUMBRES. Edición, prólogo y notas de José R. Lomba y Pedraja.
- 52 ARTÍCULOS DE CRÍTICA LITERARIA Y ARTÍSTICA. Edición, prólogo y notas de José R. Lomba y Pedraja.
- 77 ARTÍCULOS POLÍTICOS Y SOCIALES. Edición, prólogo y notas de José R. Lomba y Pedraja.

LEÓN (FRAY LUIS DE):
- 28 DE LOS NOMBRES DE CRISTO, tomo I. Edición, introducción y notas de Federico de Onís.

33

41

LÓPE
162

LOZA
120

12

MAI
10

10

1

MA

MA

M

M

MONCADA (FRANCISC
- 54 EXPEDICIÓN DE
Y GRIEGOS. Edi

MONTEMAYOR (JORG
- 127 LOS SIETE LIBROS
cisco López Est

MORATÍN (LEANDRO
- 58 LA COMEDIA NUE
prólogo y notas

MORETO (AGUSTÍN):
- 32 EL LINDO DON DI
logo y notas de

NIEREMBERG (P. JUA
- 30 EPISTOLARIO. Edic

PEREDA (JOSÉ MARÍA
- 144 PEDRO SÁNCHEZ, t
de Cossío.
- 145 PEDRO SÁNCHEZ, to
de Cossío.

PÉREZ DE GUZMÁN (F
- 61 GENERACIONES Y S
Jesús Domínguez

PULGAR (FERNANDO D
- 49 CLAROS VARONES D
Jesús Domínguez
- 99 LETRAS. COPLAS DE
Jesús Domínguez

QUEROL (VICENTE W.):
- 160 POESÍAS. Edición, i

QUEVEDO (FRANCISCO
- 5 EL BUSCÓN, tomo
Castro.
- 31 LOS SUEÑOS, tomo I
dor y Frauca.
- 34 LOS SUEÑOS, tomo
Cejador y Frauca.
- 56 OBRAS SATÍRICAS Y
José María Salave

QUINTANA (JOSÉ MANU
- 78 POESÍAS. Edición, pr

RIVAS (DUQUE DE):
- 9 ROMANCES, tomo I.
Rivas Cherif.
- 12 ROMANCES, tomo II.
Rivas Cherif.

ROJAS (FERNANDO DE):
- 20 LA CELESTINA, tomo
Cejador y Frauca.
- 23 LA CELESTINA, tomo
Cejador y Frauca.

ROJAS (FRANCISCO DE):
- 35 DEL REY ABAJO, NING
prólogo y notas de
- 153 MORIR PENSANDO MAT
y notas de Raymon

TORRE (FRANCISCO DE LA):

124 Poesías. Edición, prólogo y notas de Alonso Zamora Vicente.

TORRES VILLARROEL (DIEGO DE):

7 Vida. Edición, introducción y notas de Federico de Onís.

161 Visiones y visitas de Torres con don Francisco de Quevedo por la Corte. Edición, introducción y notas de Russell P. Sebold.

VALDÉS (ALFONSO DE):

89 Diálogo de las cosas ocurridas en Roma. Edición, introducción y notas de José F. Montesinos.

96 Diálogo de Mercurio y Carón. Edición, introducción y notas de José F. Montesinos.

VALDÉS (JUAN DE):

86 Diálogo de la lengua. Edición, introducción y notas de José F. Montesinos.

VALERA (JUAN):

80 Pepita Jiménez. Edición, prólogo y notas de Manuel Azaña.

VARIOS:

62 Floresta de leyendas heroicas españolas. *Rodrigo, el último godo*, tomo I. Compilación, prólogo y notas de Ramón Menéndez Pidal.

71 Floresta de leyendas heroicas españolas. *Rodrigo, el último godo*, tomo II. Compilación, prólogo y notas de Ramón Menéndez Pidal.

84 Floresta de leyendas heroicas españolas. *Rodrigo, el último godo*, tomo III. Compilación, prólogo y notas de Ramón Menéndez Pidal.

VÁZQUEZ (FRAY DIONISIO):

123 Sermones. Edición, prólogo y notas del P. Félix G. Olmedo, S. I.

VEGA (GARCILASO DE LA):

3 Obras. Edición, introducción y notas de Tomás Navarro Tomás.

VEGA (LOPE DE):

39 El remedio en la desdicha. El mejor alcalde, el rey. Edición, prólogo y notas de J. Gómez Ocerín y R. M. Tenreiro.

68 Poesías líricas, tomo I: *Primeros romances. Letras para cantar. Sonetos.* Edición, introducción y notas de José F. Montesinos.

75 Poesías líricas, tomo II: *Canciones. Epístolas. Romances. Poemas diversos.* Edición, introducción y notas de José F. Montesinos.

157 El villano en su rincón. Las bizarrías de Belisa. Edición, estudio preliminar y notas de Alonso Zamora Vicente.

159 Peribáñez y el Comendador de Ocaña. La dama boba. Edición, prólogo y notas de Alonso Zamora Vicente.

VÉLEZ DE GUEVARA (LUIS):

38 El diablo cojuelo. Edición, prólogo y notas de Francisco Rodríguez Marín.

132 Reinar después de morir. El diablo está en Cantillana. Edición, prólogo y notas de Manuel Muñoz Cortés.

VILLEGAS (ESTEBAN MANUEL DE):

21 Eróticas o amatorias. Edición, introducción y notas de Narciso Alonso Cortés.

ZAVALETA (JUAN DE):

169 Errores celebrados. Edición, introducción y notas de David Hershberg.

ZORRILLA (JOSÉ):

63 Poesías. Edición, prólogo y notas de Narciso Alonso Cortés.